1000
PALABRAS
CLAVE

El primer Audio Diccionario para aprender el Inglés que más se usa en Estados Unidos

1000 PALABRAS CLAVE
© 2007 TRIALTEA USA LLC
ISBN-13: 978-0-9778295-7-6

Elaboración de contenidos:
Corporate Language Partner - Patricia I. Lucanera

Derechos exclusivos:

TRIALTEA USA
GRUPO**ADI**
P.O. Box 454402
Miami, FL 33245-4402
Tel. 1-800-210-0344
info@ingles100dias.com

Impreso en Estados Unidos

INDICE

INDICE

INTRODUCCIÓN

Tienes en tus manos el diccionario más efectivo y novedoso que jamás hayas imaginado. Te hemos destacado las **1,000 palabras clave**, las que más vas a necesitar, y te las hemos ordenado por frecuencia de uso en sencillos grupos de 100 palabras. Así sabrás qué palabras aprender primero y cuáles son las importantes, consiguiendo defenderte en inglés en un tiempo record.

¡Verás qué **fácil** es aprender inglés! Aprenderás primero las 100 palabras más usadas. Luego, las segundas 100 palabras de inglés más usadas y así hasta completar las 1,000 palabras clave con las que te podrás entender y comunicar en inglés sin problemas.

Ojalá cuando yo empezaba a aprender inglés alguien me hubiera dicho qué palabras aprender primero. ¡El tiempo que hubiera ganado! Ahora tienes en tus manos el diccionario que yo siempre quise tener. **Rápido y eficaz**. Más fácil, ¡imposible!

También te hemos preparado unos prácticos **tests de vocabulario** que te serán muy útiles para autoevaluar tu progreso. Las respuestas las encontrarás en las páginas finales del libro. Decide hacerlos cuando creas que ya sabes todas o casi todas las palabras de cada grupo.

Y, como complemento ideal, los audio CDs que acompañan este diccionario. Este es el primer diccionario creado para hispanohablantes que dispone de un **audio diccionario** para aprender escuchando. En los CDs escucharás las 1,000 palabras clave, te podrás autoevaluar constantemente, conocerás la traducción al español y practicarás la pronunciación americana. Cuando sepas las 1,000 palabras clave te desenvolverás en inglés con **soltura y fluidez**, en cualquier situación.

Por último, para que este libro te sea aún más útil, hemos ido un paso más allá para que este diccionario sea, además de todo lo anterior, **definitivo**: un completo glosario inglés-español y español-inglés para que consultes rápidamente el significado de **las 2,500 palabras más importantes del inglés**, con su traducción y correcta pronunciación americana. Una herramienta **esencial** de consulta para que lleves siempre contigo.

No te quiero quitar más tiempo. Te invito a empezar con las primeras 100 palabras. Verás cómo entenderás y hablarás inglés en muy poco tiempo.

Con cariño,

Daniela Vives
Universidad del Inglés

LAS 1000 PALABRAS CLAVES
DEL INGLÉS AMERICANO

Ordenadas por importancia
y frecuencia de uso

Ver notas de PRONUNCIACIÓN, pág. 261

Palabras Clave
1 a 100

A (e). Un, una

Address (ædres). Dirección

Age (eish). Edad

All (a:l). Todos

And (end). Y

Are (a:r). Son, están

Back (bæk). Atrás, espalda

Be (bi:). Ser, estar

Because (bico:s). Porque

Big (big). Grande

But (bat). Pero

Can (kæn). Poder

Car (ka:r). Automóvil

Country (kántri). País

Did (did). Pasado simple del verbo hacer

Do (du:). Hacer

Drive (dráiv). Conducir

Eat (i:t). Comer

English (inglish). Inglés

Far (fa:r). Lejos

Food (fud). Comida

For (fo:r). Para

From (fra:m). De, desde

Get (get). Conseguir

Go (góu). Ir

Good (gud). Bueno

Have (jæv). Tener

He (ji:). Él

Here (jir). Aquí, acá

His (jiz). Su (de él)

Home (jóum). Hogar

Hour (áur). Hora

How (jáu). ¿Cómo?

I (ái). Yo

In (in). En

Is (is). Es

It (it). Lo

Job (sha:b). Trabajo

Like (láik). Gustar

Look (luk). Mirar

Mail (méil). Correo

Make (méik). Hacer

Man (mæn). Hombre

Many (mæni). Muchos

Me (mi:). Me, a mí

Mile (máil). Milla

Money (máni). Dinero

More (mo:r). Más

Much (ma:ch). Mucho

My (mái). Mi

Need (ni:d). Necesitar

Never (néve:r). Nunca

New (nu:). Nuevo

No (nou). No

Not (not). No

Number (namber). Número

Of (ev). De

Old (óuld). Viejo

One (wan). Uno

Open (óupen). Abrir

Or (o:r). O

Other (á:de:r). Otro

Out (áut). Afuera

Put (put). Poner

Same (seim). Mismo

Say (séi). Decir

See (si:). Ver

She (shi:). Ella

Some (sæm). Algunos

Soon (su:n). Pronto

Street (stri:t). Calle

That (dæt). Esa, ese, eso, aquella, aquel, aquello

The (de). El, la, las, los

There (der). Allá, allí

They (déi). Ellos/as

This (dis). Este, este, esto

Time (táim). Tiempo

To (tu:). A

Today (tudei). Hoy

Two (tu:). Dos

Understand (anderstænd). Entender

Up (ap). Arriba

Use (iu:s). Usar

Very (véri). Muy

Wait (wéit). Esperar

Want (wa:nt). Querer

Was (wos). Era, fue

We (wi:). Nosotros

Well (wel). Bien

What (wa:t). ¿Qué?

When (wen). ¿Cuándo?

Why (wái). ¿Por qué?

Will (wil). Auxiliar para el futuro

With (wid). Con

Woman (wumen). Mujer

Word (word). Palabra

Write (ráit). Escribir

Yes (yes). Sí

You (yu:). Tú, usted, ustedes

Your (yo:r). Tu; su; de usted, de ustedes

Palabras Clave
101 a 200

About (ebáut). Acerca de

After (æfte:r). Después

Ago (egóu). Atrás

Always (a:lweiz). Siempre

An (en). Un, una

Bad (bæd). Malo

Bag (bæg). Bolso, bolsa

Before (bifo:r). Antes

Begin (bigín). Comenzar

Below (bilóu). Debajo de

Better (bérer). Mejor

Between (bitwí:n). Entre

Bottom (bá:rem). Parte inferior

Bye (bái). Adiós

Cheap (chi:p). Barato

Clean (kli:n). Limpiar

Coin (kóin). Moneda

Collect (kelékt). Cobrar

Color (kále:r). Color

Come (kam). Venir

Complete (kemplí:t). Completar

Cook (kuk). Cocinar

Cost (ka:st). Costar

Credit (krédit). Crédito

Customer (kásteme:r). Cliente

Customs (kástems). Aduana

Cut (kat). Cortar

Day (déi). Día

Directions (dairékshen). Instrucciones

Doctor (dá:kte:r). Doctor

Does (dáz). Auxiliar del presente simple

Dollar (dá:le:r). Dólar

Down (dáun). Abajo

Drink (drink). Beber

Early (érli). Temprano

Easy (í:zi). Fácil

End (end). Fin

Enough (ináf). Suficiente

Enter (éne:r). Ingresar

Exit (éksit). Salida

Expensive (ikspénsiv). Caro

Fine (fáin). Bien

Friend (frend) Amigo

Go on (góu a:n). Ocurrir

Go out (góu áut). Salir

Great (gréit). Fantástico

Happy (jæpi). Feliz

Hello (jelóu). Hola

Help (jelp). Ayudar

Hi (jái). Hola

House (jáuz). Casa

I.D. Card (ái di: ka:rd). Documento de identidad

Immigration (imigréishen). Inmigración

Just (sha:st). Recién

Know (nóu). Saber

Lawyer (la:ye:r). Abogado

Live (liv). Vivir

Mailman (méilmen). Cartero

Main (méin). Principal

Manager (mænishe:r). Gerente

Market (má:rket). Mercado

Mean (mi:n). Significar

Men(men). Hombres

Must (mast). Deber, estar obligado a

Name (néim). Nombre

Near (nir). Cerca

Nice (náis). Agradable

Nothing (názing). Nada

O.K. (óu kéi). De acuerdo

On (a:n). Sobre

Pay (péi). Pagar

Price (práis). Precio

Question (kuéschen). Pregunta

Read (ri:d). Leer

Ready (rédi). Listo

Right (ráit). Derecha

Second (sékend). Segundo

Sell (sel). Vender

Send (sénd). Enviar.

Shut (shat). Cerrar

Sign (sáin). Firmar

So (sóu). Por lo tanto

Sold (sóuld). Vendido

Somebody (sámba:di). Alguien

Something (sámzing). Algo

Speak (spi:k). Hablar

Start (sta:rt). Comenzar

Stop (sta:p). Parar

Take (téik). Tomar

Talk (ta:k). Conversar

Then (den). Entonces

Thing (zing). Cosa

Water (wá:re:r). Agua

Way (wéi). Camino

Where (wer). ¿Dónde?

Which (wích). ¿Cuál?

Who (ju:). ¿Quién?

Without (widáut). Sin

Work (we:rk). Trabajar

Work permit (we:rk pé:rmit). Permiso de trabajo.

Palabras Clave 201 a 300

Across (ekrá:s). A través, en frente de

Afternoon (æfte:rnu:n). Tarde

Again (egén). Otra vez

Agreement (egrí:ment). Acuerdo

Airport (érport). Aeropuerto

Amount (emáunt). Cantidad

Answer (ænser). Contestar

Apartment (apa:rtment). Apartamento

Application form (æplikéishen fo:rm). Formulario de solicitud

Apply (eplái). Postularse

Around (eráund). Alrededor

As (ez). Como

Ask (æsk). Preguntar

Attorney (eté:rnei). Abogado, fiscal

Authority (ezo:riti). Autoridad

Average (æverish). Promedio

Bank (bænk). Banco

Behind (bijáind). Detrás

Border (bo:rde:r). Frontera

Bottle (ba:rl). Botella

Box (ba:ks). Caja

Break (bréik). Romper

Bring (bring). Traer

Building (bílding). Edificio

Burn (be:rn). Quemar

Can (kæn). Poder

Cash (kæsh). Dinero en efectivo

Change (chéinsh). Cambiar

Check (chek). Cheque

Coffee (ka:fi). Café

Cold (kóuld). Frío

Come from (kam fra:m). Venir de

Construction worker (kenstrákshen we:rke:r). Obrero de la construcción

Contractor (kentræ:kte:r). Contratista

Count (káunt). Contar

Country code (kántri kóud). Código de país

Crime (kráim). Delito

Deliver (dilíve:r). Enviar

Dial (dáiel). Discar

Difference (díferens). Diferencia

Difficult (dífikelt). Difícil

Dirty (déri). Sucio

Driver license (dráiver láisens). Licencia de conducir

Employee (imploií:). Empleado

Employer (implóie:r). Empleador

Experience (íkspíriens). Experiencia

Family (fæmeli). Familia

Feel (fi:l). Sentir

First (fe:rst). Primero

Follow (fá:lou). Seguir

Free (fri:). Libre

Hand (jænd). Mano

Hard (ja:rd). Difícil

Head (jed). Cabeza

High (jái). Alto

Hope (jóup). Esperanza

Hot (ja:t). Caliente

Important (impó:rtent). Importante

Information (infe:rméishen). Información

Insurance (inshó:rens). Seguro

Interest (íntrest). Interés

Key (ki:). Llave

Last (læst). Último

Learn (le:rn). Aprender

Leave (li:v). Partir

Little (lírel). Pequeño

Long (lan:g). Largo

Low (lóu). Bajo

Mad (mæd). Furioso

Meaning (mi:ning). Significado

Next (nékst). Próximo

Night (náit). Noche

Often (á:ften). A menudo

People (pí:pel). Gente

Person (pé:rsen). Persona

Phone (fóun). Teléfono

Prepaid (pripéd). Prepagado

Purchase (paercheis). Adquirir

Rate (réit). Tarifa, tasa

Rent (rent). Alquilar

Return (rité:rn). Devolver

Road (róud). Camino

Save (séiv). Ahorrar

Should (shud). Deber (para dar consejos)

Sick (sik). Enfermo

Since (sins). Desde

Spend (spénd). Gastar

Still (stil). Aún

Teach (ti:ch). Enseñar

Tell (tel). Decir

Think (zink). Pensar

Three (zri:). Tres

Tip (tip). Propina

Tomorrow (temórou). Mañana

Tonight (tenáit). Esta noche

Too (tu:). También

True (tru:). Verdad

Under (ánde:r). Debajo

Yesterday (yésterdei). Ayer

Yet (yet). Todavía

Palabras Clave 301 a 400

Able (éibel). Capaz

Above (ebáv). Arriba de

Accept (eksépt). Aceptar.

Agree (egrí:). Estar de acuerdo

Also (á:lsou). También

Anybody (éniba:di). Alguien

Anyone (éniwan). Alguien

Anything (énizing). Algo

Ask for (æsk fo:r). Pedir

At (æt). A, en

ATM (ei. ti: em) Cajero automático

Avenue (ævenu:). Avenida

Block (bla:k). Cuadra

Both (bóuz). Ambos

Buy (bái). Comprar

Care (ker). Cuidado

Catch (kæch). Atrapar

Citizen (sírisen). Ciudadano

City (síri). Ciudad

Come back (kam bæk). Regresar

Come in (kam in). Entrar

Come on (kam a:n). Pedirle a alguien que se apure

Credit card (krédit ka:rd). Tarjeta de crédito

Debit card (débit ka:rd). Tarjeta de débito

Deliver (dilíve:r). Enviar

Die (dái). Morir

Discussion (diskáshen). Conversación

Dry (drái). Seco

Education (eshekéishen). Educación

Elevator (éleveire:r). Ascensor

Evening (í:vning). Final de tarde, noche

Find (fáind). Encontrar

Four (fo:r). Cuatro

Gas (gæs). Gasolina

Inch (inch). Pulgada

Keep away (ki:p ewái). Mantenerse alejado

Last name (læst néim). Apellido

Late (léit). Tarde

Left (left). Izquierda

Listen (lísen). Escuchar

Look for (luk fo:r). Buscar

Lose (lu:z). Perder

Necessary (néseseri). Necesario

Only (óunli). Solamente

Outside (autsáid). Afuera

Over (óuve:r). Por encima

Pen (pen). Bolígrafo

Perfect (pé:rfekt). Perfecto

Place (pléis). Lugar

Pull (pul). Tirar, halar

Push (push). Empujar

Quick (kuík). Rápido

Really (ríeli). Realmente

Receive (risí:v). Recibir

Requirement (rikuáirment). Requisito

Resident (rézident). Residente

Run (ran). Correr

Run away (ran ewéi). Escapar

Safe (séif). Seguro

School (sku:l). Escuela

Seem (si:m). Parecer

Show (shóu). Mostrar

Sit (sit). Sentarse

Slow down (slóu dáun). Disminuir la marcha

Small (sma:l). Pequeño

Smoke (smóuk). Fumar

Soda (sóude). Refresco

Someone (sámuen). Alguien

Sometimes (sámtaimz). A veces

Sound (sáund). Sonar

Speed (spi:d). Velocidad

Speed up (spi:d ap). Acelerar

Spell (spel). Deletrear

Station (stéishen). Estación

Store (sto:r). Tienda

Supermarket (su:pe:rmá:rket). Supermercado

Telephone (télefóun). Teléfono

Temperature (témpriche:r). Temperatura

There are (der a:r). Hay (pl.)

There is (der iz). Hay (sing.)

Through (zru:). A través

Times (táimz). Veces

Toilet (tóilet). Inodoro

Try (trái). Tratar

Twice (tuáis). Dos veces

Us (as). A nosotros

Walk (wa:k). Caminar

Wall (wa:l). Pared

Weather (wéde:r). Tiempo

Week (wi:k). Semana

Weekend (wí:kend). Fin de semana

Welcome (wélcam). Bienvenido

While (wáil). Mientras

Whole (jóul). Entero

Whose (ju:z). ¿De quién?

Worry (wé:ri). Preocuparse

Would (wud). Auxiliar para ofrecer o invitar

Wrong (ra:ng). Equivocado

Year (yir). Año

Zero (zí:rou). Cero

Palabras Clave 401 a 500

Actually (ǽkchueli). En realidad

Agency (éishensi). Agencia

Air (er). Aire

Area Code (érie kóud). Código de área

Arrival (eráivel). Llegada

Arrive (eráiv). Llegar

Attack (etǽk). Ataque

Aunt (ænt). Tía

Bakery (béikeri). Panadería

Beer (bir). Cerveza

Birthday (bérzdei). Cumpleaños

Blue (blu:). Azul

Call (ka:l). Llamar

Carry (kéri). Transportar

Cashier (kæshír). Cajero

Ceiling (síling). Techo

Chance (chæns). Oportunidad

Citizenship (sírisenship) Ciudadanía

Clear (klíe:r). Aclarar

Closet (klóuset). Ropero

Comfortable (kámfe:rtebel) Cómodo

Company (kámpeni). Compañía

Computer (kempyú:re:r). Computadora

Counselor (káunsele:r). Asesor

Counter (káunte:r). Mostrador

Culture (ké:lche:r). Cultura

Debt (dét). Deuda

Destination (destinéishen). Destino

Dining room (dáining ru:m) Comedor

Dish (dish). Plato

Distance (dístens). Distancia

Downtown (dáuntaun). Centro de la ciudad

Driver (dráive:r). Conductor

Drugstore (drágsto:r). Farmacia

Egg (eg). Huevo

Eight (éit). Ocho

Electrician (elektríshen). Electricista

Engine (énshin). Motor

Expert (ékspe:rt). Experto

Farmer (fá:rme:r). Granjero

Feet (fi:t). Pies

Fight (fáit). Luchar

Fire (fáir). Fuego

Five (fáiv). Cinco

Foreign (fó:ren). Extranjero

Forget (fegét). Olvidar

Gas station (gæs stéishen). Gasolinera

Half (ja:f). Medio

Hear (jier). Oír

Highway (jáiwei). Autopista

Holiday (já:lidei). Día de fiesta, festivo

Hotel (joutél). Hotel

Hundred (já:ndred). Cien

Ice (áis). Hielo

Kitchen (kíchen). Cocina

Large (la:rsh). Grande

Light (láit). Luz

Lost (lost). Perdido

Meet (mi:t). Conocer a alguien

Move (mu:v). Mover

Once (uáns). Una vez

Opportunity (epertú:neri). Oportunidad

Our (áuer). Nuestro

Paper (péipe:r). Papel

Passport (pæspo:rt). Pasaporte

Permit (pé:rmit). Permiso

Phone card. (fóun ka:rd). Tarjeta telefónica.

Post office (póust á:fis). Oficina de correos

Profession (preféshen). Profesión

Quite (kuáit). Bastante

Relation (riléishen). Relación

Relationship (riléishenship). Relación

Remember (rimémbe:r). Recordar

Repeat (ripí:t). Repetir

Salesperson (séilspe:rsen). Vendedor

Set up (set ap) Establecer

Sir (se:r). Señor

Sleep (sli:p). Dormir

Smell (smel). Oler

Stair (stér). Escalera

Stamp (stæmp). Estampilla

Stop by (sta:p bái). Visitar por un corto período

Straight (stréit). Derecho

Subway (sábwei). Subterráneo

Sweat (swet). Transpirar

Thousand (záunsend). Mil

Throw (zróu). Lanzar

Throw away (zróu ewéi). Tirar a la basura

Tool (tu:l). Herramienta

Train (tréin). Tren

Truck (trak). Camión

Trunk (tránk). Maletero

Turnpike (té:rnpaik). Autopista con peaje

Usually (yu:shueli). Usualmente

Vacation (veikéishen). Vacación

Waist (wéist). Cintura

Warm (wa:rm). Cálido

Window (wíndou). Ventana

World (we:rld). Mundo

Worse (we:rs). Peor

Palabras Clave
501 a 600

Approval (eprú:vel). Aprobación

Argument (a:rgiument). Discusión

Assistant (esístent). Asistente

Awful (á:fel). Feo, horrible

Baby sitter (béibi síre:r). Niñera

Bake (béik). Hornear

Balcony (bælkeni). Balcón

Ball (ba:l). Pelota

Bathroom (bæzrum) Cuarto de baño

Battery (bæreri). Batería

Beautiful (biú:rifel). Hermoso

Bed (bed). Cama

Bedroom (bédrum). Dormitorio

Behavior (bijéivye:r). Comportamiento

Brother (bráde:r). Hermano

Brown (bráun). Marrón

Calm (ka:lm). Calmar

Car dealer (ka:r di:le:r). Vendedor de autos

Carpet (ká:rpet). Alfombra

Casual (kæshuel). Informal

Child (cháild). Niño

Children (chíldren). Hijos, niños

Copy (ká:pi). Copiar

Cousin (kázen). Primo

Danger (déinshe:r). Peligro

Dark (da:rk). Oscuro

Daughter (dá:re:r). Hija

Development (divélopment). Desarrollo

Door (do:r). Puerta

Engineer (enshinír). Ingeniero

Enjoy (inshói). Disfrutar

Ever (éve:r). Alguna vez

Example (igzæmpel) Ejemplo

Explain (ikspléin). Explicar

Fat (fæt). Grasa, gordo/a

Father (fá:de:r). Padre

Favorite (féivrit). Favorito

Feed (fi:d). Alimentar

Furniture (fé:rnicher). Muebles

Gardener (gá:rdene:r). Jardinero

Girl (ge:rl). Muchacha, niña

Girlfriend (gé:rlfrend). Novia

Grandfather (grændfá:de:r). Abuelo

Grass (græs). Césped

Hairdresser (jerdrése:r). Peluquero

Hard-working (já:rdwe:rking). Trabajador

Hate (jéit). Odiar

Him (jim). Lo, le, a él

Housekeeper (jáuz ki:pe:r). Ama de llaves

Hurt (he:rt). Doler

Husband (jázbend). Esposo

Interview (ínner:viu:). Entrevista

Labor (léibe:r). Laboral

Land (lænd). Tierra

Law (la:). Ley

Mechanic (mekænik). Mecánico

Mine (máin). Mío/a

Miss (mis). Señorita

Mother (máde:r). Madre

Nanny (næni). Niñera

Nurse (ners). Enfermera

Offer (á:fe:r). Oferta

Office (á:fis). Oficina

Paint (péint). Pintar

Parents (pérents). Padres

Rain (réin). Lluvia

Rest (rest). Descansar

Résumé (résyu:mei) Currículum vitae

Roof (ru:f). Techo

Room (ru:m). Habitación

Screw (skru:). Atornillar

Screw driver (skru: dráive:r). Destornillador

Screw up (skru: ap). Arruinar

Seat (si:t). Asiento

Serve (se:rv). Servir

Shelf (shelf). Estante

Sister (síste:r). Hermana

Six (síks). Seis

Skill (skil). Habilidad

Social Security (sóushel sekiurity). Seguro social

Son (san). Hijo

Stool (stu:l). Banqueta

Stove (stóuv). Cocina

Sweep (swi:p). Barrer

Table (téibel). Mesa

Technician (tekníshen). Técnico

Tire (táie:r). Goma

Uncle (ánkel). Tío

Union (yú:nien). Sindicato

Vacuum (vækyú:m). Aspiradora

Veterinarian (vete:riné:rian). Veterinario

Waiter (wéire:r). Mesero

Waitress (wéitres). Mesera

Wash (wa:sh). Lavar

Waste (wéist). Malgastar

Watch (wa:ch). Mirar

Wheel (wi:l). Rueda

Wife (wáif). Esposa

Wind (wind). Viento

Wood (wud). Madera

Palabras Clave
601 a 700

Account (ekáunt). Cuenta

Add (æd). Agregar

Advice(edváis). Consejo

Apologize (epá:leshaiz). Disculparse

Attention (eténshen). Atención

Balance (bælens). Saldo

Bankrupt (bænkrept). Bancarrota

Basement (béisment). Sótano

Black (blæk). Negro

Blind (bláind). Ciego

Blond (bla:nd). Rubio

Blow (blóu). Soplar

Borrow (bárau). Pedir prestado

Boyfriend (bóifrend). Novio

Buddy (bári). Amigo

Certificate (se:rtífiket). Certificado

Chest (chest). Pecho

Chicken (chíken). Pollo

Could (kud). Podría

Damage (dæmish). Daño

Dangerous (déinsheres). Peligroso

Deposit (dipá:zit). Depósito

Dictionary (díksheneri). Diccionario

Dime (dáim). Diez centavos de dólar

Disappointed (disepóinted). Desilusionado

Down payment (dáun péiment). Anticipo, cuota inicial

During (during). Durante

Error (é:re:r). Error

Every day (évri déi). Todos los días

Everything (évrizing). Todo

Excellent (ékselent). Excelente

Floor (flo:r). Piso

Front (fra:nt). Frente

Fun (fan). Diversión

Get up (get ap). Levantarse de la cama

Give back (giv bæk). Devolver

Glass (glæs). Vidrio

Glasses (glæsiz). Anteojos

Go through (góu zru:). Revisar

Gray (gréi). Gris

Green (gri:n). Verde

Her (je:r). Su (de ella)

Imagine (imæshin). Imaginar

Improve (imprú:v). Mejorar

Increase (inkrí:s). Aumentar

Installment (instá:lment). Cuota

Interest rate (íntrest réit). Tasa de interés

Interesting (íntresting). Interesante

Invite (inváit). Invitar

Kick (kik). Patear

Kid (kid). Niño, chico

Language (længuish). Idioma

Line (láin). Fila

Mess (mes). Desorden

Money order (máni ó:rde:r). Giro postal

Month (mánz). Mes

Mouth (máuz). Boca

News (nu:z). Noticias

Nickel (níkel). Cinco centavos de dólar

Noise (nóiz). Ruido

Official (efíshel). Oficial

Package (pækish). Paquete

Penny (péni). Un centavo de dólar

Pick up (pik ap). Recoger

Prescription (preskrípshen). Receta médica

Problem (prá:blem). Problema

Quarter (kuá:re:r). Veinticinco centavos de dólar

Rare (rer). Cocción jugosa

Remind (rimáind). Hacer acordar

Reschedule (riskéshu:l). Reprogramar

Scissors (sí:ze:rs). Tijeras

Season (sí:zen). Temporada

Separate (sépe:reit). Separar

Seven (séven). Siete

Shake hands (shéik jændz). Dar la mano

Ship (ship). Barco

Shipment (shipment). Envío

Smart (sma:rt). Inteligente

Snow (snóu). Nieve

Space (spéis). Espacio

Spring (spring). Primavera

Stomach (stá:mek). Estómago

Student (stú:dent). Estudiante

Study (stádi). Estudiar

Stuff (staf). Cosas

Summer (sáme:r). Verano

Sun (sán). Sol

Tax (tæks). Impuesto

Their (der). Su (de ellos/as)

Them (dem). Les, las, los, a ellos/as

These (di:z). Estas/estos

Those (dóuz). Esas/os, aquellas/os

Transaction (trensækshen). Transacción

Transfer (trænsfe:r). Transferir

Travel (trævel). Viajar

Trip (trip). Viaje

Winter (wíne:r). Invierno

Wire (wáir). Alambre

Withdraw (widdra:). Retirar dinero

Yellow (yélou). Amarillo

Palabras Clave
701 a 800

A. M. (éi em). Antes del mediodía

Amazed (eméizd). Sorprendido

Basket (bæsket). Canasta

Bicycle (báisikel). Bicicleta

Bill (bil). Billete

Boat (bóut). Bote

Boil (boil). Hervir

Book (buk). Libro

Boot (bu:t). Bota

Brake (bréik). Freno

Bread (bred). Pan

Cab (kæb). Taxi

Cheese (chi :z). Queso

Classified ad (klæsifaid æd). Aviso clasificado

Clothes (klóudz). Ropa

Coat (kóut). Abrigo

Commercial (kemé:rshel). Aviso publicitario

Condition (kendíshen). Condición

Couch (káuch). Sillón

Depend (dipénd). Depender

Desk (désk). Escritorio

Dessert. (dizé:rt). Postre

Detail (díteil). Detalle

Doubt (dáut). Duda

Dress (dres). Vestido

Entertainment (ene:rtéinment). Entretenimiento

Fall (fa:l). Caída

Fashion (fæshen). Moda

Field (fi:ld). Campo

Fill (fil). Llenar

Flight (fláit). Vuelo

Fork (fo:rk). Tenedor

Frozen (fróuzen). Congelado

Fruit (fru:t). Fruta

Fry (frái). Freír

Give back (giv bæk). Devolver

Give up (giv ap). Darse por vencido

Groceries (gróuseri:z). Víveres

Group (gru:p). Grupo

Grow (gróu). Crecer

Guess (ges). Suponer

Hole (jóul). Agujero

Homemade (jóumméid). Casero

Idea (aidíe). Idea

Introduce (intredu:s). Presentar

Iron (áiren). Hierro

Join (shoin). Unirse

Joke (shóuk). Chiste, broma

Lane (léin). Carril de una autopista

Less (les). Menos

Level (lével). Nivel

Match (mæch). Partido

Meal (mi:l). Comida

Meeting (mí:ting). Reunión

Menu. (ményu:). Menú

Mix (miks). Mezclar

Movement (mu:vment). Movimiento

Morning (mo:rning). Mañana

Nose (nóuz). Nariz

O'clock (eklá:k). En punto

On sale (a:n séil). En liquidación, rebajas

Order (á:rde:r). Ordenar

P.M. (pi: em). Después del mediodía

Pair (per). Par

Park (pa:rk). Parque

Picture (píkche:r). Foto

Plane (pléin). Avión

Police (pelí:s). Policía

Pound (páund). Libra

Powerful (páue:rfel). Poderoso

Prefer (prifé:r). Preferir

Priority (praió:reri). Prioridad

Reduce (ridú:s). Reducir

Refund (rífand). Reembolso

Reliable (riláiebel). Confiable

Responsible (rispá:nsibel). Responsable

Restaurant (résteren). Restaurante

Retire (ritáir). Jubilarse

Review (riviú:). Revisión

Sad (sæd). Triste

Salt (sa:lt). Sal

Scratch (skræch). Rascar

Square(skwér). Cuadrado

Stay (stéi). Quedarse

Steal (sti:l). Robar

Stranger (stréinshe:r). Desconocido

Style (stáil). Estilo

Sunglasses (sánglæsiz). Anteojos de sol

Swallow (swálou). Tragar

Swim (swim). Nadar

Tall (ta:l). Alto

Toll (tóul). Peaje

Traffic (træfik). Tránsito

Traffic light (træfik láit). Semáforo

Traffic sign (træfik sáin). Señal de tránsito

Turn (te:rn). Doblar

Turn off (te:rn a:f). Apagar

Turn on (te:rn a:n). Encender

Voice(vóis). Voz

Yield (yild). Ceder el paso

Palabras Clave
801 a 900

Alcohol (ælkeja:l). Alcohol

Antibiotic (æntibaiá:rik). Antibiótico

Apple (æpel). Manzana

Arm (a:rm). Brazo

Attend (eténd). Concurrir

Belt (belt). Cinturón

Blood (bla:d). Sangre

Body (ba:dy). Cuerpo

Breath (brez). Aliento

Cable (kéibel). Cable

Chair (che:r). Silla

Christmas (krísmes). Navidad

Clever (kléve:r). Inteligente

Cloud (kláud). Nube

Corner (kó:rne:r). Esquina

Cough (kaf). Toser

Cry (krái). Llorar

Degree (digrí:). Grado

Dentist (déntist). Dentista

Destroy (distrói). Destruir

Destruction (distrákshen). Destrucción

Disease (dizí:z). Enfermedad

Dizzy (dízi). Mareado

Double (dábel). Doble

Dream (dri:m). Soñar

Dust (dást). Polvo

Ear (ir). Oreja

Earth (érz). Tierra

Effect (ifékt). Efecto

Eye (ái). Ojo

Face (féis). Cara

Fasten (fæsen). Ajustarse

Feeling (fi:ling). Sentimiento

Fever (five:r). Fiebre

Final (fáinel). Final

Finger (fínge:r). Dedo de la mano

Fireman (fáirmen). Bombero

Fish (fish). Pez

Flu (flu:). Gripe

Foot (fut). Pie

Frightened (fráitend). Asustado

Grow up (gróu ap). Criarse, crecer

Guide (gáid). Guía

Guy (gái). Chicos/chicas, gente

Hair (jér). Pelo

Hang (jæng). Colgar

Headache (jédeik). Dolor de cabeza

Health (jélz). Salud

Homesick (jóumsik). Nostalgico/a

Immediate (imí:diet). Inmediato

Incredible (inkrédibel). Increíble

Knock (na:k). Golpear repetidamente

Lie (lái). Mentir

Liquid (líkwid). Líquido

Loan (lóun). Préstamo

Luck (lak). Suerte

Married (mérid). Casado

Medicine (médisen). Medicina

Message (mésish). Mensaje

Million (mílien). Millón

Nation (néishen). Nación

Neck (nek). Cuello

Newspaper (nu:spéiper). Diario

Nonresident (na:nrézident). No residente

Oil (óil). Aceite

Pack (pæk). Paquete

Pants (pænts). Pantalones largos

Parking lot (pa:rking lot). Estacionamiento

Patient (péishent). Paciente

Pharmacist (fá:rmesist). Farmacéutico

Play (pléi). Jugar

Proud (práud). Orgulloso

Red (red). Rojo

Rice (ráis). Arroz

Salad (sæled). Ensalada

Selfish (sélfish). Egoísta

Sensible (sénsibel). Sensato

Sensitive (sénsitiv). Sensible

Short (sho:rt). Corto

Skirt (ske:rt). Falda

Soap (sóup). Jabón

Socks (sa:ks). Calcetines

Sore (so:r). Dolorido

State (stéit). Estado

Suffer (sáfe:r). Sufrir

Sugar (shúge:r). Azúcar

Suitcase (sú:tkeis). Maleta

Sweet (swi:t). Dulce

Throat (zróut). Garganta

Tired (taie:rd). Cansado

Tomato (teméirou). Tomate

Tooth (tu:z). Diente

Upset (apsét). Disgustado

Vegetables (véshetebels). Verduras

Visit (vízit). Visitar

Weight (wéit). Peso

Well done (wel dan). Bien hecho

Wet (wet). Húmedo

Wine (wáin). Vino

Young (ya:ng). Joven

Palabras Clave
901 a 1000

Angry (ængri). Enojado

Background (bækgraund). Antecedentes

Case (kéis). Caso

Court (ko:rt). Corte

Cover (ká:ve:r). Cubrir

Cup (káp). Taza

Date (déit). Fecha

Death (déz). Muerte

Decision (disíshen). Decisión

Draw (dra:w). Dibujar

Drop (dra:p). Hacer caer

Envelope (énveloup). Sobre

Environment (inváirenment). Medio ambiente

Fit (fit). Quedar bien (una prenda)

Flower (flaue:r). Flor

Force (fo:rs). Forzar

Game (géim). Juego

Gold (góuld). Oro

Government (gáve:rnment). Gobierno

Guest (gést). Huésped

Homework (jóumwe:k). Tareas del estudiante

Honest (á:nest). Honesto

Illness (ílnes). Enfermedad

Injury (ínsheri). Herida

Judge (shash). Juez

Jump (shamp). Saltar

Justice (shástis). Justicia

Kill (kil). Matar

Kiss (kis). Besar

Knee (ni:). Rodilla

Knife (náif). Cuchillo

Landlord (lændlo:rd). Locador

Laugh (læf). Reír

Leg (leg). Pierna

Legal (lí:gel). Legal

Letter (lére:r). Carta

Love (lav). Amar

Magazine (mægezí:n). Revista

Mass (mæs). Masa

Meat (mi:t). Carne

Microwave oven (máikreweiv óuven). Horno a microondas

Milk (milk). Leche

Mirror (míre:r). Espejo

Model (má:del). Modelo

Movie (mu:vi). Película

Music (myu:zik). Música

Naturalization (næchera:laizéishen). Naturalización

Option (á:pshen). Opción

Ounce (áuns). Onza

Party (pá:ri). Fiesta

Pass (pæs). Pasar (atravesar)

Piece (pi:s). Porción

Pillow (pílou). Almohada

Poor (pur). Pobre

Pork (po:rk). Cerdo

Potato (petéirou). Papa

Pretty (príri). Bonito

Prison (prí:sen). Prisión

Recipe (résipi). Receta

Recommend (rekeménd). Recomendar

Relax (rilæks). Descansar

Ring (ring). Anillo

River (ríve:r). Río

Rude (ru:d). Maleducado

Satisfied (særisfáid). Satisfecho

Scale (skéil). Balanza

Sea (si:). Mar

Sheet (shi:t). Hoja de papel

Shine (sháin). Brillar

Shirt (shé:rt). Camisa

Shoe (shu:). Zapato

Shoulder (shóulde:r). Hombro

Shy (shái). Tímido.

Sign (sáin). Firmar

Size (sáiz). Talla

Skin (skin). Piel

Sky (skái). Cielo

Soccer (sá:ke:r). Fútbol

Song (sa:ng). Canción

Soup (su:p). Sopa

Special (spéshel). Especial

Sport (spo:rt). Deporte

Steak (stéik). Filete

Suppose (sepóuz). Suponer

Surprise (se:rpráiz). Sorpresa

Swear (swer). Jurar

Sweater (suére:r). Suéter

Taste (téist). Gusto

Ten (ten). Diez

Tennis shoes (ténis shu:z). Zapatos tenis

Thief (zi:f). Ladrón

Thunder (zánde:r). Truenos

Translator (trensléire:r). Traductor

Trespass (trespæs). Entrar ilegalmente

Trial (tráiel). Juicio.

T-shirt (ti: shé:rt). Camiseta

Umbrella (ambréle). Paraguas

University (yu:nivé:rsiri). Universidad

Wear (wer). Usar ropa

Widow (wídou). Viuda

TEST DE VOCABULARIO
autocorregido

AUTOTEST para Palabras Clave 1 a 100

Marque en cada caso el significado más adecuado

1) **Address**
   a Añadir
   b Departamento
   c Dirección
   d Aderezo

6) **Job**
   a Ocio
   b Trabajo
   c Afición
   d Religión

2) **Age**
   a Ajo
   b Edad
   c Ajá
   d Años

7) **Mail**
   a Cartero
   b Sobre
   c Correo
   d Carta

3) **Because**
   a Cómo
   b Cuánto
   c Dónde
   d Porque

8) **Old**
   a Joven
   b Viejo
   c Edad
   d Maduro

4) **Far**
   a Justo
   b Lejos
   c Gordo
   d Así

9) **Same**
   a Igual
   b Similar
   c Parecido
   d Familiar

5) **From**
   a Desde
   b Hacia
   c Para
   d Por

10) **Understand**
   a Debajo
   b Significar
   c No aguantar
   d Entender

Respuestas en la **pág. 270**

AUTOTEST para Palabras Clave 101 a 200

Marque en cada caso el significado más adecuado

1) **About**
   a Interés
   b Lejano
   c Próximo
   d Acerca de

2) **Before**
   a Antes
   b Después
   c Ahora
   d Arriba

3) **Between**
   a Detrás
   b Delante
   c Entre
   d Frente

4) **Collect**
   a Recolectar
   b Cobrar
   c Coleccionar
   d Pagar

5) **Customer**
   a Agente
   b Proveedor
   c Cliente
   d Obligado

6) **Enough**
   a Suficiente
   b Insuficiente
   c Demasiado
   d Poco

7) **Go out**
   a Entregar
   b Acompañar
   c Entrar
   d Salir

8) **Mean**
   a Significar
   b Ayudar
   c Motivar
   d Estimular

9) **Send**
   a Recibir
   b Enviar
   c Entregar
   d Aportar

10) **Something**
   a Alguien
   b Alguno
   c Algo
   d Algún día

Respuestas en la **pág. 270**

AUTOTEST para Palabras Clave 201 a 300

Marque en cada caso el significado más adecuado

1) Afternoon
a Mañana
b Tarde
c Noche
d Ayer

6) Dial
a Jabón
b Día
c Discar
d Dar

2) Apply
a Recibirse
b Postularse
c Obtener
d Lograr

7) Insurance
a Seguro
b Seguramente
c Insatisfecho
d Intentar

3) Attorney
a Torno
b Atornillar
c Atender
d Abogado

8) Often
a Oír
b A menudo
c Pocas veces
d Diez

4) Building
a Edificio
b Bloque
c Departamento
d Cuadra

9) Prepaid
a Barata
b Gratis
c Medicina
d Prepaga

5) Come from
a Venir de
b Ir hacia
c Venir hacia
d Volver

10) Purchase
a Bolso
b Comprar
c Vender
d Purgar

Respuestas en la **pág. 270**

AUTOTEST para Palabras Clave 301 a 400

Marque en cada caso el significado más adecuado

1) **Able**
   a Amable
   b Capaz
   c Hablar
   d Oír

6) **Listen**
   a Listar
   b Escuchar
   c Igualar
   d Oler

2) **Ask for**
   a Pedir
   b Preguntar
   c Responder
   d Salir

7) **Requirement**
   a Requisito
   b Reaparecer
   c Resabiado
   d Recepción

3) **Care**
   a Auto
   b Cuidado
   c Farmacia
   d Maltratar

8) **Slow down**
   a Acelerar
   b Reducir velocidad
   c Detenerse
   d Huir de

4) **Citizen**
   a Residente
   b Ciudadano
   c Americano
   d Reloj

9) **Sometimes**
   a Alguien
   b Alguno
   c A veces
   d Siempre

5) **Discussion**
   a Pelea
   b Discusión
   c Conversación
   d Trifulca

10) **Worry**
   a Preocuparse
   b Desentenderse
   c Despreocuparse
   d Correr

Respuestas en la **pág. 270**

AUTOTEST para Palabras Clave 401 a 500

Marque en cada caso el significado más adecuado

1) **Actually**
   a Actualmente
   b Ahora
   c En realidad
   d En breve

6 **Foreign**
   a Latinoamericano
   b Extranjero
   c Americano
   d Extraño

2) **Bakery**
   a Panadería
   b Carnicería
   c Pescadería
   d Frutería

7) **Kitchen**
   a Gatos
   b Cocina
   c Animales
   d Baño

3) **Ceiling**
   a Cielo
   b Techo
   c Suelo
   d Piso

8) **Post office**
   a Oficina de postas
   b Oficina de correos
   c Oficina de carros
   d Oficina de ventas

4) **Counter**
   a Contra
   b Mostrar
   c Mostrador
   d Contener

9) **Smell**
   a Oler
   b Escuchar
   c Hablar
   d Decir

5) **Engine**
   a Ingenio
   b Motor
   c Ingeniero
   d Máquina

10) **Usually**
   a Usuario
   b Usado
   c Usualmente
   d Usual

Respuestas en la **pág. 270**

AUTOTEST para Palabras Clave 501 a 600

Marque en cada caso el significado más adecuado

1) Argument
a Argumento
b Discusión
c Justificación
d Presentación

6) Grandfather
a Tío
b Abuelo
c Padre grande
d Bisabuelo

2) Beautiful
a Linda
b Fea
c Atractiva
d Graciosa

7) Husband
a Esposa
b Esposo
c Matrimonio
d Boda

3) Car dealer
a Taller de autos
b Vendedor de autos
c Cuidador de autos
d Parqueador de autos

8) Nurse
a Cuidadora de niños
b Azafata
c Enfermera
d Doctora

4) Daughter
a Hija
b Sobrina
c Hermana
d Prima

9) Parents
a Parientes
b Hermanos
c Cuñados
d Padres

5) Furniture
a Cocinas
b Camas
c Muebles
d Sofás

10) Son
a Hijo
b Sol
c Hija
d Música

Respuestas en la **pág. 270**

AUTOTEST para Palabras Clave 601 a 700

Marque en cada caso el significado más adecuado

1) **Advice**
   a Avisar
   b Atender
   c Comercial TV
   d Consejo

2) **Basement**
   a Sótano
   b Ático
   c Estadio
   d Base

3) **Buddy**
   a Cuerpo chico
   b Cuerpo grande
   c Amigo
   d Vecino

4) **Down Payment**
   a Pago final
   b Pago completo
   c Anticipo
   d Última cuota

5) **Everything**
   a Nada
   b Todo
   c Algunas cosas
   d Muchas cosas

6) **Installment**
   a Instalación
   b Instalador
   c Escalera
   d Cuota

7) **Prescription**
   a Receta
   b Prescripción
   c Fecha límite
   d Caducidad

8) **Shipment**
   a Barco
   b Navegante
   c Envío
   d Marinero

9) **These**
   a Estos
   b Esos
   c Aquellos
   d Algunos

10) **Withdraw**
   a Retirar dinero
   b Depositar dinero
   c Guardar dinero
   d Ahorrar dinero

Respuestas en la **pág. 270**

Marque en cada opción el significado más adecuado

1) **Bread**
   a Manteca
   b Pan
   c Harina
   d Trigo

6) **Homemade**
   a Casero
   b Constructor de casas
   c Hogar
   d Casa

2) **Couch**
   a Entrenador
   b Bus
   c Coche
   d Sillón

7) **Lane**
   a Rubio
   b Lacio
   c Carril
   d Vía de tren

3) **Dessert**
   a Vacío
   b Desierto
   c Nadie
   d Postre

8) **On sale**
   a En liquidación
   b En venta
   c Salida
   d Salado

4) **Fork**
   a Tenedor
   b Cuchillo
   c Cuchara
   d Cubiertos

9) **Refund**
   a Pago
   b Contra entrega
   c Volver a fundir
   d Reembolso

5) **Groceries**
   a Groserías
   b Vulgaridades
   c Víveres
   d Cosas grandes

10) **Toll**
   a Alto
   b Bajo
   c Peaje
   d Autopista

Respuestas en la **pág. 270**

AUTOTEST para Palabras Clave 801 a 900

Marque en cada opción el significado más adecuado

1) **Arm**
   a Arma
   b Pistola
   c Brazo
   d Mano

2) **Dust**
   a Pato
   b Patio
   c Conducto
   d Polvo

3) **Feeling**
   a Relleno
   b Llenar
   c Dolor
   d Sentimiento

4) **Flu**
   a Mosca
   b Catarro
   c Resfrío
   d Gripe

5) **Health**
   a Salud
   b Riqueza
   c Abundancia
   d Hospital

6) **Homesick**
   a Enfermo
   b Nostálgico
   c Casa principal
   d Enfermo en casa

7) **Married**
   a Cansado
   b Esposado
   c Casado
   d Matrimonio

8) **Proud**
   a Orgulloso
   b Feliz
   c Satisfecho
   d Encantado

9) **Sensible**
   a Sensible
   b Suave
   c Sensato
   d Delicado

10) **Upset**
   a Disgustado
   b Vuelta abajo
   c Volver
   d Subir

Respuestas en la **pág. 270**

AUTOTEST para Palabras Clave 901 a 1000

Marque en cada caso el significado más adecuado

1) Envelope
a Envolver
b Encima
c Sobre
d Abajo

2) Guest
a Invitado
b Adivinar
c Guardado
d Abandonado

3) Homework
a Trabajo doméstico
b Tarea del estudiante
c Oficina
d Estudio

4) Knife
a Cuchillo
b Cuchara
c Cubiertos
d Tenedor

5) Letter
a Permitir
b Dejar hacer
c Correo
d Carta

6) Movie
a Móvil
b Película
c Serie de TV
d Celular

7) Ounce
a Una vez sólo
b Once
c Onza
d Peso

8) Pretty
a Fea
b Bella
c Atractiva
d Rubia

9) Scale
a Escalera
b Escalera automática
c Balanza
d Regla

10) Size
a Gorda
b Delgada
c Talle
d Talla

Respuestas en la **pág. 270**

DICCIONARIO
ILUSTRADO
INGLÉS / ESPAÑOL

A

A lot

Accountant

Actor

A (e). Un, una.

A bit (e bit). Un poco.

A few (e fyu:). Unos pocos.

A little (e lírel). Un poco.

A lot (e la:t). Mucho.

A. M. (éi em). A.M. (antes del mediodía).

Ability (ebíleri). Habilidades.

Able (éibel). Capaz.

About (ebáut). Acerca de.

Above (ebáv). Arriba de.

Absent-minded (æbsent máindid). Distraído.

Absolutely (æbselú:tli). Absolutamente.

Accelerator (akséle:reire:r). Acelerador.

Accept (eksépt). Aceptar.

Account (ekáunt). Cuenta.

Accountant (ekáuntent). Contador.

Acid rain (æsid réin). Lluvia ácida.

Acquaintance (ekwéintens). Conocido.

Acquittal (ekwí:tel). Absolución.

Across (ekrá:s). A través, en frente de.

Act (ækt). Actuar.

Act (ækt). Ley.

Actor (ækte:r). Actor.

Actually (ækchueli). En realidad.

Administrative officer

Aerobics

Aids

Ad (æd). Avisos publicitarios.

Add (æd). Agregar.

Add up (æd ap). Resultar razonable

Add up (æd ap). Sumar.

Address (ædres). Dirección.

Adjustment (edshástment). Ajuste.

Administrative officer (edminístretiv á:fise:r). Empleado administrativo.

Adventure (edvénche:r). Aventura.

Advertisement (ædve:rtáizment). Aviso publicitario.

Advertising (ædve:rtaizing). Publicidad.

Advice(edváis). Consejo.

Aerobics (eróubiks). Ejercicios aeróbicos.

Affectionate (efékshenet). Afectuoso.

Affidavit (æfedéivit). Declaración jurada.

After (æfte:r). Después.

Afternoon (æfte:rnu:n). Tarde.

Again (egén). Otra vez.

Age (eish). Edad.

Agency (éishensi). Agencia.

Aggressive (egrésiv). Agresivo.

Ago (egóu). Atrás.

Agree (egrí:). Estar de acuerdo.

Agreement (egrí:ment). Acuerdo.

Aids (éidz). Sida.

Air (er). Aire.

Airport (érport). Aeropuerto.

Alcohol (ælkeja:l). Alcohol.

Alibi (ælibai). Coartada.

Alien (éilien). Extranjero.

All (a:l). Todos.

Allergy (æle:rshi). Alergia.

Alligator (eligéire:r). Lagarto

Alligator

Almond (á:lmend). Almendra.

Alphabet (ælfebet). Alfabeto.

Also (á:lsou). También.

Always (a:lweiz). Siempre.

Amazed (eméizd). Sorprendido.

Ambitious (æmbíshes) Ambicioso.

Amount (emáunt). Cantidad.

Amusement (emyú:zment). Diversión.

An (en). Un, una.

Alphabet

Anchovy (ænchevi). Anchoa.

And (end). Y.

Angry (ængri). Enojado.

Animal (ænimel). Animal.

Ankle (ænkel). Tobillo.

Annoyed (enóid). Molesto.

Answer (ænser). Contestar.

Ant (ænt). Hormiga.

Anthem (anzem). Himno nacional.

Antibiotic (æntibaiá:rik). Antibiótico.

Angry

Anxious (ænkshes). Ansioso.

Anybody (éniba:di). Alguien.

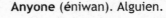

Apple

Anyone (éniwan). Alguien.

Anything (énizing). Algo.

Apartment (apa:rtment). Apartamento.

Apologize (epá:leshaiz). Disculparse.

Appeal (epí:l). Apelación.

Apple (æpel). Manzana.

Application form (æplikéishen fo:rm). Formulario de solicitud.

Apply (eplái). Postularse.

Approval (eprú:vel). Aprobación.

April (éipril). Abril.

Architect (á:rkitekt). Arquitecto.

Are (a:r). Son, están.

Area Code (érie kóud). Código de área.

Argument (a:rgiument). Discusión.

Arm (a:rm). Brazo.

Architect

Around (eráund). Alrededor.

Arrange (eréinsh). Organizar.

Arrival (eráivel). Llegada.

Arrive (eráiv). Llegar.

Arrogant (æregent). Arrogante.

Artist (á:rist). Artista.

As (ez). Como.

Ashamed (eshéimd). Avergonzado.

Ask (æsk). Preguntar.

Artist

Ask for (æsk fo:r). Pedir.

Ask out (æsk áut). Invitar a salir.

Aspirin (æspirin). Aspirina.

Assault (aso:lt). Ataque.

Assistant (esístent). Asistente.

At (æt). A, en.

ATM (ei. ti: em). Cajero automático.

Attack (etæk). Ataque.

Attempt (etémpt). Intentar.

Avenue

Attend (eténd). Concurrir.

Attention (eténshen). Atención.

Attorney (eté:rnei). Abogado.

Attraction (ete:rni). Atracción.

August (o:gast). Agosto.

Aunt (ænt). Tía.

Authority (ezo:riti). Autoridad.

Avenue (ævenu:). Avenida.

Axe

Average (æverish). Promedio.

Awful (á:fel). Feo, horrible.

Axe (æks). Hacha.

B

Baby sitter

Baby sitter (béibi síre:r). Niñera.

Bachelor (bæchele:r). Soltero.

Back (bæk). Atrás, espalda.

Back out (bæk áut). Echarse atrás.

Back up (bæk ap). Apoyar.

Baggage

Back up (bæk ap). Hacer copia de seguridad de archivos electrónicos.

Backache (bækeik). Dolor de espalda.

Background (bækgraund). Antecedentes.

Backyard (bækye:rd). Patio trasero.

Bacon. (béiken). Tocino.

Bad (bæd). Malo.

Bad-Tempered (bæd témpe:rd). Mal carácter.

Bag (bæg). Bolso, bolsa.

Bagel (béigel). Rosca.

Baggage (bægish). Equipaje.

Bake (béik). Hornear.

Baker (béiker). Panadero.

Bakery (béikeri). Panadería.

Balance (bælens). Saldo.

Balcony (bælkeni). Balcón.

Bandage

Bald (ba:ld). Calvo.

Ball (ba:l). Pelota.

Ballot (bælet). Voto.

Band aid (bænd éid). Banda protectora autoadhesiva.

Bandage (bændish). Venda.

Bank (bænk). Banco.

Bankrupt (bænkrept). Bancarrota.

Barbecue (ba:rbikyu:). Barbacoa.

Baseball

Barrel (bærel). Barril.

Baseball (béisba:l). Béisbol.

Basement (béisment). Sótano.

Bathing suit

Basil (béisil). Albahaca.

Basket (bæsket). Canasta.

Basketball (bæsketbol). Basquetbol.

Bat (bæt). Murciélago.

Bathe (béid). Bañarse.

Bathing suit (béiding su:t). Traje de baño de mujer.

Bathroom (bæzrum). Cuarto de baño.

Bathtub (bæztab). Bañera.

Battery (bæreri). Batería.

Bay (béi). Bahía.

Be (bi:). Ser, estar.

Be into (bi: intu:). Hacer algo regularmente.

Be off (bi: a:f). Irse.

Be out of (bi: áut ev). Quedarse sin algo.

Be over (bi: óuve:r). Terminar.

Beans (bi:ns). Frijoles.

Beat

Bear (ber). Oso.

Beard (bird). Barba.

Beat (bi:t). Batir.

Beautiful (biú:rifel). Hermoso.

Because (bico:s). Porque.

Bed (bed). Cama.

Bedroom (bédrum). Dormitorio.

Bee

Bee (bi:). Abeja.

Beef (bi:f). Carne vacuna.

Beer (bir). Cerveza.

Belt

Before (bifo:r). Antes.

Begin (bigín). Comenzar.

Behavior (bijéivye:r). Comportamiento.

Behind (bijáind). Detrás.

Belief (bili:f). Creencia.

Bell captain (bel kӕpten). Jefe de porteros en un hotel.

Below (bilóu). Debajo de.

Belt (belt). Cinturón.

Better (bérer). Mejor.

Between (bitwí:n). Entre.

Beverage (bévrish). Bebida.

Beverage

Bewildered (biwilde:rd). Perplejo.

Bicycle (báisikel). Bicicleta.

Big (big). Grande.

Bill (bil). Billete.

Bill (bil). Factura (de electricidad, etc.).

Billion (bílien). Billón (mil millones).

Biography (baia:grefi). Biografías.

Birth (be:rz). Nacimiento.

Birthday (bérzdei). Cumpleaños.

Bite (báit). Mordedura, picadura.

Bite (báit). Morder.

Birthday

Black (blӕk). Negro.

Blackberry (blӕkberi). Zarzamora.

Blackmail (blӕlmeil). Chantajear.

Blackmailer (blӕkmeile:r). Chantajista.

Blanket (blӕnket). Frazada.

Blonde

Blouse

Boil

Blend (blénd). Mezclar.

Blind (bláind). Ciego.

Blind date (bláind déit). Cita a ciegas.

Blinds (bláindz). Persianas.

Blink (blink). Parpadear.

Blizzard (blíze:rd). Tormenta de nieve.

Block (bla:k). Cuadra.

Blog (bla:g). Diario personal en Internet.

Blond (bla:nd). Rubio.

Blonde (bla:nd). Rubia.

Blood (bla:d). Sangre.

Blouse (bláus). Blusa.

Blow (blóu). Soplar.

Blow out (blóu áut). Soplar.

Blow up (blóu ap). Explotar.

Blow up (blóu ap). Hacer explotar.

Blow up (blóu ap). Inflar.

Blow up (blóu ap). Perder los estribos.

Blue (blu:). Azul.

Blue cheese (blu: chi:z). Queso azul.

Blush (blush). Enrojecer.

Board (bo:rd). Cartelera.

Board (bo:rd). Tabla.

Board game (bo:rd géim). Juego de mesa.

Boat (bóut). Bote.

Body (ba:dy). Cuerpo.

Boil (boil). Hervir.

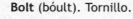

Book

Bowling

Bread

Bolt (bóult). Tornillo.

Book (buk). Libro.

Bookcase (búkkeis). Repisa.

Boot (bu:t). Bota.

Border (bo:rde:r). Frontera.

Boring (bo:ring). Aburrido.

Borrow (bárau). Pedir prestado.

Bossy (ba:si). Autoritario.

Both (bóuz). Ambos.

Bottle (ba:rl). Botella.

Bottled water (ba:rl wá:re:r). Agua mineral.

Bottom (bá:rem). Parte inferior.

Bowl (bóul). Tazón.

Bowling (bóuling). Bolos.

Box (ba:ks). Caja.

Boxing (ba:ksing). Boxeo.

Boyfriend (bóifrend). Novio.

Brainteaser (bréinti:ze:r). Adivinanza.

Braise (bréiz). Cocinar con líquido.

Brake (bréik). Freno.

Brandy (brændi). Coñac.

Brass (bræs). Bronce.

Brave (bréiv). Valiente.

Bread (bred). Pan.

Breadstick (brédstik). Grisín.

Break (bréik). Descanso.

Break (bréik). Romper.

Bricklayer

Bride

Bring up

Break down (bréik dáun). Flaquear.

Break down (bréik dáun). Romperse.

Break up (breik ap). Romper una relación.

Breast (brést). Seno, pechuga.

Breath (brez). Aliento.

Breathe (bri:d). Respirar.

Breeze (bri:z). Brisa.

Bribe (bráib). Sobornar.

Bribe (bráib). Soborno.

Bricklayer (brikléie:r). Albañil.

Bride (bráid). Novia.

Bring (bring). Traer.

Bring along (bring elá:ng). Traer.

Bring back (bring bæk). Traer a la memoria.

Bring up (bring ap). Criar.

Bring up (bring ap). Hablar sobre algo.

Broadband (bro:dbænd). Banda ancha de Internet.

Broke (bróuk). Quebrado (sin dinero).

Brother (bráde:r). Hermano.

Brown (bráun). Castaño.

Brown (bráun). Marrón.

Browse (bráuz). Navegar por Internet.

Browser (bráuze:r). Navegador.

Bruise (bru:z). Magulladura.

Brussel sprouts (brázel spráuts). Repollitos de Bruselas.

Buckle (bákel). Hebilla.

Buddy (bári). Amigo.

Building

Bus

Butterfly

Budget (báshet). Presupuesto.

Buffalo (báfelou). Búfalo

Buffet (beféi). Bufet.

Build up (bild ap). Aumentar.

Builder (bílde:r). Constructor.

Building (bílding). Edificio.

Bull (bu:l). Toro.

Bun (ban). Pan para hamburguesa.

Burglar (bé:rgle:r). Ladrón.

Burglary (bé:rgle:ri). Robo.

Burn (be:rn). Quemar.

Burn (bu:rn). Quemadura.

Burp (be:rp). Eructar.

Burst (be:rst). Explotar.

Bus (bas). Autobús.

Bus stop (bas sta:p). Parada de autobús.

Business (bíznes). Negocios.

Busy (bízi). Ocupado.

But (bat). Pero.

Butcher (bútche:r). Carnicero.

Butter (báre:r). Mantequilla.

Butterfly (báre:rflái). Mariposa.

Buttock (bárek). Nalga.

Button (bárn). Botón.

Buy (bái). Comprar.

By (bái). En (medios de transporte).

Bye (bái). Adiós.

C

Call

Candle

Canoeing

Cab (kæb). Taxi.

Cabbage (kæbish). Repollo.

Cable (kéibel). Cable.

Calf (kæf). Pantorrilla.

Call (ka:l). Llamada.

Call (ka:l). Llamar.

Call back (ka:l bæk). Devolver un llamado.

Call off (ka:l a:f). Cancelar.

Call up (ka:l ap). Convocar (para el ejército o un equipo deportivo).

Calm (ka:lm). Calmar.

Calm down (ka:lm dáun). Calmar.

Campaign (kempéin). Campaña.

Can (kæn). Lata.

Can (kæn). Poder.

Candid (kændid). Franco.

Candidate (kændideit). Candidato.

Candle (kændel). Vela.

Canoeing (kenú:ing). Canotaje.

Cap (kæp). Gorra.

Car (ka:r). Automóvil.

Car dealer (ka:r di:le:r). Vendedor de autos.

Car racing (ka:r réising). Automovilismo.

Card game. (ka:rd géim). Juego de cartas.

Carpenter

Cat

Chair

Care (ker). Cuidado.

Care for (ker fo:r). Cuidar.

Carefree (kérfree). Despreocupado.

Carpenter (ka:rpente:r). Carpintero.

Carpet (ká:rpet). Alfombra.

Carrot (kæret). Zanahoria.

Carry (kéri). Llevar.

Carry (kéri). Transportar.

Carton (ká:rten). Envase de cartón.

Case (kéis). Caso.

Cash (kæsh). Dinero en efectivo.

Cashier (kæshír). Cajero.

Casual (kæshuel). Informal.

Cat (kæt). Gato.

Catch (kæch). Atrapar.

Catch on (kæch a:n). Tener éxito.

Catch up on (kæch ap a:n). Ponerse al día.

Catch up with (kæch ap wid). Ponerse al día.

Cause (ka:z). Causa.

Ceiling (síling). Techo.

Ceiling fan (síling fæn). Ventilador de techo.

Celery (séleri). Apio.

Cemetery (sémeteri). Cementerio.

Centimeter (séntimirer). Centímetro.

Certificate (se:rtífiket). Certificado.

Chair (che:r). Silla.

Chance (chæns). Oportunidad.

Chandelier

Cheese

Chemical

Chandelier (chǽndelir). Lámpara de techo.

Change (chéinsh). Cambiar.

Change (chéinsh). Cambio.

Charge (cha:rsh). Acusación.

Cheap (chi:p). Barato.

Check (chek). Cheque.

Check (chek). Chequear.

Check (chek). Cuenta en un restaurante.

Check (chek). Revisar.

Check in (chek in). Registrarse.

Check off (chek a:f). Marcar como vistos en una lista.

Check out (chek áut). Ir a conocer un lugar nuevo.

Check out (chek áut). Pagar en la caja de un supermercado.

Check out (chek áut). Pagar la cuenta al irse de un hotel.

Check over (chek óuve:r). Revisar.

Checkbook (chékbuk). Chequera.

Checkers (chéke :rs). Juego de damas.

Cheek (chi :k). Mejilla.

Cheerful (chirfel). Alegre.

Cheese (chi :z). Queso.

Chef (shef). Chef.

Chemical (kémikel). Sustancia química.

Cherry (chéri). Cereza.

Chess (chess). Ajedrez.

Chest (chest). Cómoda.

Chest (chest). Pecho.

Chestnut (chéstnat). Castaña.

Chew (chu:). Masticar.

Chicken (chíken). Pollo.

Chickenpox (chíkenpa:ks). Varicela.

Child (cháild). Hijo.

Child (cháild). Niño.

Childish (cháildish). Infantil.

Child

Children (chíldren). Hijos.

Children (chíldren). Niños.

Chili (chili). Ají picante.

Chin (chin). Mentón.

Chop (cha:p). Picar.

Christmas (krísmes). Navidad.

Cinnamon (sínemen). Canela.

Citizen (sírisen). Ciudadano.

Citizenship (sírisenship). Ciudadanía.

Christmas

City (síri). Ciudad.

Civil servant (sívil sérvent). Empleado público.

Clap (klæp). Aplaudir.

Classified ad (klæsifaid æd). Aviso clasificado.

Clean (kli:n). Limpiar.

Clean (limpio). Limpio.

Clear (klíe:r). Aclarar.

Clear out (klíe:r áut). Retirar pertenencias de un lugar.

Clean

Clear up (klíe:r ap). Aclarar dudas.

Clear up (klíe:r ap). Mejorar (el tiempo).

Clear up (klíe:r ap). Mejorar (una enfermedad).

Clerk (kle:rk). Empleado.

Clever (kléve:r). Inteligente.

Climate (kláimit). Clima.

Climb (kláim). Escalar.

Closet (klóuset). Ropero.

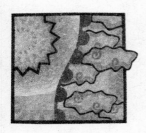

Climate

Cloth (kla:z). Paño de limpieza.

Clothes (klóudz). Ropa.

Cloud (kláud). Nube.

Cloudy (kláudi). Nublado.

Clutch (klách). Embrague.

Coal (kóul). Carbón.

Coat (kóut). Abrigo.

Cockroach (ká:krouch). Cucaracha.

Coconut (kóukenat). Coco.

Coconut

Cod (ka:d). Bacalao.

Coffee (ka:fi). Café.

Coffee store (ká:fi sto:r). Cafetería.

Coffee table (ká:fi téibel). Mesa de centro.

Coin (kóin). Moneda.

Cold (kóuld). Frío.

Cold (kóuld). Resfriado.

Collar (kále:r). Cuello (de una prenda).

Collect (kelékt). Cobrar.

Color (kále:r). Color.

Coffee

Comb (kóum). Peine.

Come (kam). Venir.

Comfortable

Competition

Computer

Come along (kam elá:ng). Acompañar.

Come around (kam eráund). Recuperar la conciencia.

Come back (kam bæk). Regresar.

Come from (kam fra:m). Venir de.

Come in (kam in). Entrar.

Come on (kam a:n). Pedirle a alguien que se apure.

Come out (kam áut). Hacerse público.

Come out (kam áut). Terminar de una manera determinada.

Come through (kam zru:). Atravesar una situación difícil con éxito.

Come up (kam ap). Suceder inesperadamente.

Come up with (kam ap wid). Sugerir.

Comfort (kámfe:rt). Comodidad.

Comfortable (kámfe:rtebel). Cómodo.

Comic (ká:mik). Historieta.

Commercial (kemé:rshel). Aviso publicitario.

Company (kámpeni). Compañía.

Comparison (kempérisen). Comparación.

Competition (ká:mpetíshen). Competencia.

Competition (ká:mpetishen). Competición.

Competitive (kempéririv). Competitivo.

Complete (kemplí:t). Completar.

Computer (kempyú:re:r). Computadora.

Computing (kempyu:ring). Computación.

Concert (ká:nse:rt). Concierto.

Condition (kendíshen). Condición.

Confused (kenfyú:zd). Confundido.

Congress (ká:ngres). Congreso.

Connection (kenékshen). Conexión.

Considerate (kensídret). Considerado.

Constitution (ka:nstitu:shen). Constitución.

Construction inspector (kenstrákshen inspékte:r). Inspector de construcción.

Construction worker (kenstrákshen we:rke:r). Obrero de la construcción.

Consultant (kensáltent). Asesor.

Contain (kentéin). Contener.

Contamination (kenteminéishen). Contaminación.

Contractor (kentræ:kte:r). Contratista.

Control (kentróul). Control.

Control-freak (kentróul fri:k). Controlador obsesivo.

Conversation (ka:nverséishen). Conversación.

Convict (ká:nvikt). Convicto.

Cook (kuk). Cocinar.

Cook (kuk). Cocinero.

Cooker (kúke:r). Cocina.

Cool (ku:l). Divertido.

Cool (ku:l). Fresco.

Copper (ká:pe:r). Cobre.

Copy (ká:pi). Copia.

Copy (ká:pi). Copiar.

Cork (ka:rk). Corcho.

Corn (ko:rn). Maíz.

Contamination

Cook

Corn

Cow

Craft

Cream

Corner (kó:rne:r). Esquina.

Cost (ka:st). Costar.

Couch (káuch). Sillón.

Cough (kaf). Tos.

Cough (kaf). Toser.

Could (kud). Podría

Counselor (káunsele:r). Asesor.

Count (káunt). Contar.

Count in (káunt in). Incluir a alguien en una actividad.

Count on (káunt a:n). Contar con.

Counter (káunte:r). Mostrador.

Country (kántri). País.

Country code (kántri kóud). Código de país.

Country of birth (kántri ev birz). País de nacimiento.

Court (ko:rt). Corte.

Court House (ko:rt jáus). Palacio de Justicia.

Cousin (kázen). Primo.

Cover (ká:ve:r). Cubrir.

Cow (káu). Vaca.

Crab (kræb). Cangrejo.

Crack (kræk). Grieta.

Craft (kræft). Artesanía.

Crate (kréit). Cajón.

Cream (kri:m). Crema.

Creative (kriéiriv). Creativo.

Credit (krédit). Crédito.

Credit card

Credit card (krédit ka:rd). Tarjeta de crédito.

Crime (kráim). Delito.

Criminals (kríminel). Delincuentes.

Crocodile (krákedail). Cocodrilo.

Crosswalk (krá:swa:k). Cruce peatonal.

Crossword puzzle (krá:swe:rd pázel). Crucigrama.

Cruel (krúel). Cruel.

Crutch (krách). Muleta.

Cry (krái). Gritar.

Cry (krái). Llorar.

Cucumber (kyú:kambe:r). Pepino.

Culture (ké:lche:r). Cultura.

Cup (káp). Taza.

Curly (ke:rli). Enrulado.

Current (ké:rent). Corriente.

Cry

Current account (ké:rent ekáunt). Cuenta corriente.

Curtain (ké:rten). Cortina.

Cushion (kúshen). Almohadón.

Customer (kásteme:r). Cliente.

Customs (kástems). Aduana.

Customs officer (kástems á:fise:r). Empleado de la aduana.

Cut (kat). Cortar.

Cut back (kat bæk). Reducir.

Cut down (kat dáun). Reducir.

Curtain

Cut off (kat a:f). Cortar un servicio.

Cyberspace (sáibe:rspeis). Ciberespacio.

D

Dairy products

Dance

Darts

Dairy products (déri prá:dakts). Productos lácteos.

Damage (dæmish). Daño.

Dance (dæns). Bailar.

Dancing (dænsing). Baile.

Danger (déinshe:r). Peligro.

Dangerous (déinsheres). Peligroso.

Dark (da:rk). Oscuro.

Darts (da:rts). Dardos.

Dashboard (dæshbo:rd). Tablero de instrumentos.

Database (déirebéis). Base de datos.

Date (déit). Cita.

Date (déit). Fecha.

Daughter (dá:re:r). Hija.

Day (déi). Día.

Death (déz). Muerte.

Death penalty (dez pénelti). Pena de muerte.

Debit card (débit ka:rd). Tarjeta de débito.

Debt (dét). Deuda.

Decaffeinated coffee (dikæfineirid ká:fi). Café descafeinado.

December (disémbe:r). Diciembre.

Decision (disíshen). Decisión.

Deck (dek). Balcón terraza.

Declare (diklé:r). Declarar.

Delivery

Dessert

Destination

Default (difá:lt). Incumplimiento.

Defence (diféns). Defensa.

Defendant (diféndent). Acusado.

Degree (digrí:). Grado.

Degrees Celsius (digrí:z sélsies). Grados centígrados.

Degrees Fahrenheit (digrí:z færenjáit). Grados Fahrenheit.

Delicious (dilíshes). Delicioso.

Deliver (dilíve:r). Enviar.

Delivery (dilí:very). Parto.

Delivery (dilíve:ri). Envío a domicilio.

Demanding (dimænding). Exigente.

Democracy (dimá:kresi). Democracia.

Democratic (demekrærik). Democrático.

Dentist (déntist). Dentista.

Deny (dinái). Denegar.

Depend (dipénd). Depender.

Deposit (dipá:zit). Depósito.

Depressed (diprést). Deprimido.

Depression (dipréshen). Depresión.

Design (dizáin). Diseñar.

Desire (dizáir). Desear.

Desk (désk). Escritorio.

Dessert. (dizé:rt). Postre.

Destination (destinéishen). Destino.

Destroy (distrói). Destruir.

Destruction (distrákshen). Destrucción.

Dice

Dictionary

Diploma

Detail (díteil). Detalle.

Determined (dité:rmind). Decidido.

Development (divélopment). Desarrollo.

Dew (du:). Rocío.

Dial (dáiel). Discar.

Dice (dáis). Cortar en cubos.

Dice (dáis). Dados.

Dictionary (díksheneri). Diccionario.

Did (did). Pasado simple del verbo hacer.

Die (dái). Morir.

Die for (dái fo:r). Querer mucho algo.

Difference (díferens). Diferencia.

Difficult (dífikelt). Difícil.

Digestion (daishéschen). Digestión.

Dime (dáim). Diez centavos de dólar.

Dining room (dáining ru:m). Comedor.

Dining set (dáinig set). Juego de comedor.

Diploma (diplá:me). Diploma.

Directions (dairékshen). Instrucciones.

Directory (dairékteri). Guía telefónica.

Directory Assistance (dairékteri esístens). Información.

Dirty (déri). Sucio.

Disappointed (disepóinted). Desilusionado.

Disco (dískou). Discoteca.

Discovery (diská:veri). Descubrimiento.

Discussion (diskáshen). Conversación.

Diving

Doctor

Dove

Disease (dizí:z). Enfermedad.

Disgust (disgást). Disgusto.

Dish (dish). Plato.

Dissolve (diza:lv). Disolver.

Distance (dístens). Distancia.

Distribution (distribyu:shen). Distribución.

Diving (dáiving). Buceo.

Division (divíshen). División.

Divorcee (devo:rsei). Divorciado.

Dizzy (dízi). Mareado.

Do (du:). Auxiliar del presente simple.

Do (du:). Hacer.

Do away with (du: ewéi wid). Eliminar.

Do without (du: widáut). Prescindir.

Doctor (dá:kte:r). Doctor.

Documentary (da:kyu:ménteri). Documental

Does (dáz). Auxiliar del presente simple.

Dollar (dá:le:r). Dólar.

Dolphin (dá:lfin). Delfín.

Door (do:r). Puerta.

Door person (do:r pé:rsen). Encargado de un edificio u hotel.

Double (dábel). Doble.

Doubt (dáut). Duda.

Doubtful (dáutfel). Dubitativo.

Dough (dóu). Masa.

Dove (dáv). Paloma.

Dress

Down (dáun). Abajo.

Down payment (dáun péiment). Anticipo.

Download (dáunloud). Bajar archivos.

Down-to-earth (dáun te érz). Centrado.

Downtown (dáuntaun). Centro de la ciudad.

Dozen (dázen). Docena.

Draw (dra:w). Dibujar.

Draw up (dra: ap). Preparar un escrito.

Dream (dri:m). Soñar.

Dream about (dri:m ebáut). Tener una ilusión.

Dream of (dri:m ev). Tener una ilusión.

Dream up (dri:m ap). Imaginar una idea o plan.

Dress (dres). Vestido.

Dresser (drése:r). Cómoda.

Dressing (drésing). Aderezo.

Dressing room (drésing ru:m). Probador.

Drink

Drill (dri:l). Taladro.

Drink (drink). Beber.

Drink (drink). Bebida.

Drive (dráiv). Conducir.

Driver (dráive:r). Conductor.

Driver license (dráiver láisens). Licencia de conducir.

Drop (dra:p). Hacer caer.

Drop in (dra:p in). Visitar de improviso.

Drop off (dra:p a:f). Dejar a alguien en un lugar.

Drop out (dra:p áut). Abandonar los estudios.

Drought (dráut). Sequía.

Dressing

Duck

Dust

Drug dealer (drág di:le:r). Narcotraficante.

Drug dealing (drág di:ling). Narcotráfico.

Drugstore (drágsto:r). Droguería.

Drugstore (drágsto:r). Farmacia.

Drunkenness (dránkenness). Ebriedad.

Dry (drái). Seco.

Dry cleaner's (drái kli:ne:rz). Tintorería.

Duck (dák). Pato.

During (during). Durante.

Dust (dást). Polvo.

Dust (dást). Quitar el polvo.

Dye (dái). Teñir.

E

Ear

Eagle (i:gel). Águila.

Ear (ir). Oído.

Ear (ir). Oreja.

Earache (íreik). Dolor de oídos.

Early (érli). Temprano.

Earth (érz). Tierra.

Earthquake (érzkweik). Terremoto.

Easy (í:zi). Fácil.

Easy-going (i:zigóuing). Tolerante.

Eat (i:t). Comer.

Eat out (i:t áut). Comer en un restaurante.

Ecological

Egg

Elephant

Eat up (i:t ap). Comer todo.

Ecological (ikelá:shikel). Ecológico.

Ecologist (iká:leshist). Ecologista.

Economical (ikená:mikel). Económico.

Edge (esh). Borde.

Education (eshekéishen). Educación.

Eel (i:l). Anguila.

Effect (ifékt). Efecto.

Efficient (efíshent). Eficiente.

Egg (eg). Huevo.

Eight (éit). Ocho.

Eighteen (eitín). Dieciocho.

Eighth (éiz). Octavo.

Eighty (éiri). Ochenta.

Either ... or (áide:r/ íde:r ...o:r). O ... o.

Elbow (élbou). Codo.

Election (ilékshen). Elección.

Electrician (elektríshen). Electricista.

Elegant (élegent). Elegante.

Elementary school (eleménteri sku:l). Escuela primaria.

Elephant (élefent). Elefante.

Elevator (éleveire:r). Ascensor.

Eleven (iléven). Once.

E-mail (ímeil). Correo electrónico.

Embarrassed (imbérest). Incómodo.

Embroidery (imbróideri). Bordado.

Empathetic (empazérik). Comprensivo.

Engine

Engineer

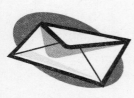

Envelope

Employee (imploií:). Empleado.

Employer (implóie:r). Empleador.

Encyclopedia (insaiklepí:die). Enciclopedia.

End (end). Fin.

End up (end ap). Terminar de una manera determinada.

Enemy (énemi). Enemigo.

Energetic (ene:rshétik). Energético.

Engine (énshin). Motor.

Engineer (enshinír). Ingeniero.

English (inglish). Inglés.

Engraving (ingréiving). Grabado en piedra o metal.

Enjoy (inshói). Disfrutar.

Enough (ináf). Suficiente.

Enter (éne:r). Ingresar.

Entertainment (ene:rtéinment). Entretenimiento.

Enthusiastic (inzú:siestik). Entusiasmado.

Envelope (énveloup). Sobre.

Envious (énvies). Envidioso.

Environment (inváirenment). Medio ambiente.

Error (é:re:r). Error.

Escalator (éskeleire:r). Escalera mecánica.

Evening (í:vning). Final de tarde. Noche.

Event (ivént). Evento.

Ever (éve:r). Alguna vez.

Every day (évri déi). Todos los días.

Everything (évrizing). Todo.

Evidence

Exercise

Explain

Evidence (évidens). Prueba.

Exactly (igzæktli). Exactamente.

Example (igzæmpel). Ejemplo.

Excellent (ékselent). Excelente.

Exchange (ikschéinsh). Cambio de dinero.

Exchange (ikschéinsh). Intercambio.

Excited (iksáirid). Entusiasmado.

Exemption (iksémpshen). Exención de impuestos.

Exercise (éksersaiz). Ejercicio.

Exercise (éksersaiz). Hacer ejercicio.

Exhale (ikséil). Exhalar.

Exhausted (igzá:stid). Exhausto.

Exhibit (eksí:bit). Prueba instrumental, mostrar, exponer.

Existence (eksístens). Existencia.

Exit (éksit). Salida.

Expansion (ikspænshen). Expansión.

Expensive (ikspénsiv). Caro.

Experience (ikspí:riens). Experimentar.

Experience (íkspíriens). Experiencia.

Expert (ékspe:rt). Experto.

Explain (ikspléin). Explicar.

Extension (iksténshen). Número interno.

Extinction (ikstínkshen). Extinción.

Eye (ái). Ojo.

Eyebrow (áibrau). Ceja.

Eyelash (áilæsh). Pestaña.

F

Fall

Family

Farmer

Face (féis). Cara.

Facilitator (fesílitéire:r). Instructor.

Fact (fækt). Hecho.

Faculty (fækelti). Facultad.

Fail (féil). Reprobar.

Fair (fer). Rubio.

Fall (fa:l). Caer.

Fall (fa:l). Caída.

Fall (fa:l). Otoño.

Fall behind (fa:l bijáind). Atrasarse.

Fall for (fa:l fo:r). Enamorarse.

Fall out (fa:l áut). Caerse de un lugar.

Family (fæmeli). Familia.

Family doctor (fæmeli dákte:r). Médico de cabecera.

Far (fa:r). Lejos.

Farmer (fá:rme:r). Granjero.

Fascinated (fæsineirid). Fascinado.

Fashion (fæshen). Moda.

Fashionable (fæshenebel). A la moda.

Fasten (fæsen). Ajustarse.

Fat (fæt). Gordo.

Fat (fæt). Grasa.

Father (fá:de:r). Padre.

Favorite (féivrit). Favorito.

Fax machine

Feeling

Fight

Fax machine (fæks meshín). Fax.

Fear (fír). Miedo.

February (fébru:eri). Febrero.

Feed (fi:d). Alimentar.

Feel (fi:l). Sentir.

Feel down (fi:l dáun). Estar deprimido.

Feel like (fi:l láik). Tener ganas.

Feeling (fi:ling). Sentimiento.

Feet (fi:t). Pies.

Felony (féleni). Delito grave.

Fender (fénde:r). Paragolpes.

Fever (five:r). Fiebre.

Fiancée (fi:a:nséi). Prometido.

Fiction (fíkshen). Ficción.

Field (fi:ld). Campo.

Fifteen (fiftí:n). Quince.

Fifth (fifz). Quinto.

Fifty (fífti). Cincuenta.

Fight (fáit). Lucha.

Fight (fáit). Luchar.

Figure out (fíge:r áut). Comprender.

Figure out (fíge:r áut). Resolver.

Fill (fil). Llenar.

Fill in (fil in). Completar espacios en blanco.

Fill in (fil in). Completar.

Fill out (fil áut). Completar por escrito.

Fill up (fil ap). Llenar completamente.

Fire

Final (fáinel). Final.

Finally (fáineli). Finalmente.

Find (fáind). Encontrar.

Fine (fáin). Bien.

Fine (fáin). Multa.

Finger (fínge:r). Dedo de la mano.

Fire (fáir). Fuego.

Fire (fáir). Incendio.

Fireman (fáirmen). Bombero.

Fireperson (fáirpe:rsen). Bombero.

Fireplace (fáirpleis). Estufa a leña.

Firewall (fáirwa:l). Filtro protector.

First (fe:rst). Primero.

Fish (fish). Pez.

Fishing (fishing). Pesca.

Fish

Fit (fit). Quedar bien (una prenda).

Five (fáiv). Cinco.

Flame (fléim). Llama.

Flight (fláit). Vuelo.

Flight attendant (fláit aténdent). Azafata.

Flood (flad). Inundación.

Floor (flo:r). Piso.

Florist (flo:rist). Florista.

Flour (fla:er). Harina.

Flower (flaue:r). Flor.

Flower

Flu (flu:). Gripe.

Fly (flái). Volar.

Food

Football

Fox

Fly (flái). Mosca.

Focus on (fóukes a:n). Concentrarse.

Fold (fóuld). Doblar.

Follow (fá:lou). Seguir.

Food (fud). Comida.

Foot (fut). Pie.

Football (fútba:l). Fútbol americano.

For (fo:r). Para.

Force (fo:rs). Forzar.

Force (fo:rs). Fuerza.

Forearm (fo:ra:rm). Antebrazo.

Forehead (fá:rid). Frente.

Foreign (fó:ren). Extranjero.

Foreman (fó:rmen). Capataz.

Forget (fegét). Olvidar.

Forgetful (fegétful). Olvidadizo.

Fork (fo:rk). Tenedor.

Form (fo:rm). Forma.

Formal (fó:rmel). Formal.

Forty (fó:ri). Cuarenta.

Four (fo:r). Cuatro.

Fourteen (fo:rtí:n). Catorce.

Fourth (fo:rz). Cuarto.

Fox (fa:ks). Zorro.

Fraud (fro:d). Fraude.

Freckle (frékel). Peca.

Free (fri:). Libre.

Freeway

Fridge

Frog

Free time (frí: táim). Tiempo libre.

Freeway (frí:wei). Autopista.

Freeze (fri:z). Congelar.

Friday (fráidei). Viernes.

Fridge (frish). Refrigerador.

Friend (frend) Amigo.

Friendly (fréndli). Cordial.

Friendship (fréndship). Amistad.

Frightened (fráitend). Asustado.

Frog (fra:g). Rana.

From (fra:m). De, desde.

Front (fra:nt). Frente.

Front desk (fra:nt desk). Recepcionista.

Front door (fra:nt do:r). Puerta de entrada.

Frost (fra:st). Helada.

Frown (fráun). Fruncir el seño.

Frozen (fróuzen). Congelado.

Fruit (fru:t). Fruta.

Frustrated (frastréirid). Frustrado.

Fry (frái). Freír.

Fun (fan). Diversión

Funny (fáni). Diversión.

Furious (fyé:ries). Furioso.

Furniture (fé:rnicher). Muebles.

G

Gardening

Gasoline

Get married

Gale (géil). Temporal.

Gallon (gælen). Galón.

Game (géim). Juego.

Garden (gá:rden). Jardín.

Gardener (gá:rdene:r). Jardinero.

Gardening (ga:rdening). Jardinería.

Garlic (ga:rlik). Ajo.

Garnish (ga:rnish). Decorar.

Gas (gæs). Gasolina.

Gas station (gæs stéishen). Gasolinera.

Gasoline (gæselin). Gasolina.

Gear box (gir bá:ks). Caja de cambios.

Generally (shénereli). Generalmente.

Generous (shéneres). Generoso.

Get (get). Conseguir.

Get along with (get ela:ng). Llevarse (bien o mal) con alguien.

Get away with (get ewéi wid). Salirse con la suya.

Get back (get bæk). Regresar.

Get by (get bái). Arreglárselas.

Get divorced (get divo:rst). Divorciarse.

Get down to (get dáun tu:). Comenzar a hacer algo seriamente.

Get in (get in). Entrar en (un automóvil).

Get married (get mérid). Casarse.

Get together

Girl

Glasses

Get off (get a:f). Bajar de.

Get on (get a:n). Subir a.

Get out of (get áut ev). Salir de (un automóvil).

Get over (get óuve:r). Recuperarse de (una enfermedad).

Get to (get tu:). Llegar.

Get together (get tegéde:r). Reunirse.

Get up (get ap). Levantarse de la cama.

Get. (get). Comprar.

Get. (get). Llegar.

Gift store (gift sto:r). Tienda de regalos.

Ginger (shi:nshe:r). Jengibre.

Giraffe (shirá:f). Jirafa.

Girl (ge:rl). Muchacha.

Girlfriend (gé:rlfrend). Amiga.

Girlfriend (gé:rlfrend). Novia.

Give (giv). Dar.

Give back (giv bæk). Devolver.

Give in (giv in). Conceder.

Give up (giv ap). Darse por vencido.

Give up (giv ap). Aceptar.

Give up (giv ap). Dejar de hacer.

Glad (glæd). Contento.

Glass (glæs). Vidrio.

Glass (glæs). Vaso.

Glasses (glæsiz). Anteojos.

Gloomy (glu:mi). Desalentado.

Glove (glav). Guante.

Go (góu). Ir.

Go away (góu ewéi). Pedirle a alguien que se vaya.

Go back (góu bæk). Regresar.

Go down (góu dáun). Disminuir.

Glove

Go for (góu fo:r). Intentar, lograr.

Go mad (góu mæd). Enojarse mucho.

Go off (góu a:f). Sonar (una alarma).

Go on (góu a:n). Continuar.

Go on (góu a:n). Ocurrir.

Go out (góu áut). Salir.

Go through (góu zru:). Revisar.

Go through (góu zru:). Tener una experiencia difícil.

Go up (góu ap). Aumentar.

Go with (góu wid). Combinar.

Gold

Goat (góut). Cabra.

Gold (góuld). Dorado.

Gold (góuld). Oro.

Golf (ga:lf). Golf.

Good (gud). Bueno.

Goose (gu:s). Ganso.

Government (gáve:rnment). Gobierno.

Governor (gáve:rne:r). Gobernador.

Gram (græm). Gramo.

Grandfather (grændfá:de:r). Abuelo.

Grandparents

Grandmother (grændmá:de:r). Abuela.

Grandparents (grændpérents). Abuelos .

Grape

Growth

Gymnastics

Grape (gréip). Uva

Graphic designer (græfik dizáine:r). Diseñador gráfico.

Grass (græs). Césped.

Grate (gréit). Rallar.

Gray (gréi). Gris.

Great (gréit). Fantástico.

Green (gri:n). Verde.

Greengrocer (gri:ngróuse:r). Verdulero.

Grin (grin). Sonrisa.

Groceries (gróuseri:z). Víveres.

Groom (gru:m). Novio.

Group (gru:p). Grupo.

Grow (gróu). Crecer.

Grow up (gróu ap). Criarse.

Growth (gróuz). Crecimiento.

Guess (ges). Adivinar.

Guess (ges). Suponer.

Guest (gést). Huésped.

Guide (gáid). Guía.

Guilty (gílti). Culpable.

Gullible (gálibel). Crédulo.

Gun (gan). Arma.

Guy (gái). Chico/a, gente.

Gym (shim). Gimnasia.

Gym (shim). Gimnasio.

Gymnastics (shimnæstiks). Gimnasia.

H

Hacksaw

Hacksaw (jæksa:). Sierra.

Hair (jér). Pelo.

Hairdresser (jerdrése:r). Peluquero.

Hairstylist (jerstáilist). Peinador.

Half (ja:f). Medio.

Ham (jæm). Jamón.

Hammer (jæme:r). Martillo.

Hand (jænd). Entregar.

Hand (jænd). Mano.

Hand over (jænd óuve:r). Entregar algo que se ha ordenado o pedido.

Handkerchief (jænke:rchi:f). Pañuelo de bolsillo.

Hang (jæng). Colgar.

Hang around (jæng eráund). Vagar sin un fin específico.

Hairdresser

Hang gliding (jængláiding). Aladeltismo, vuelo libre.

Hang on (jæng a:n). Esperar.

Hang up (jæng ap). Colgar el teléfono.

Happy (jæpi). Feliz.

Harbor (já:rbe:r). Puerto.

Hard (ja:rd). Difícil.

Hard-working (já:rdwe:rking). Trabajador.

Harmony (já:rmeni). Armonía.

Hat

Hat (jæt). Sombrero.

Hate (jéit). Odiar.

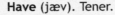

Head

Heavy

Heel

Have (jæv). Tener.

Have to (hæv te). Tener que.

Hazelnut (jéizelnat). Avellana.

He (ji:). Él.

Head (jed). Cabeza.

Head for (jed fo:r). Ir hacia un lugar.

Headache (jédeik). Dolor de cabeza.

Headlight (jédlait). Luz.

Headline (jédláin). Titular.

Headmaster (jédmæste:r). Director de una escuela.

Health (jélz). Salud.

Hear (jier). Oír.

Hearing (jiring). Audición.

Hearing (jiring). Audiencia.

Heart attack (ha:rt etá:k). Infarto.

Heart disease (há:rt dizí:z). Enfermedad del corazón.

Heat (ji:t). Calentar.

Heat (ji:t). Calor.

Heat up (ji:t ap). Calentar un alimento o una bebida.

Heat wave (ji:t wéiv). Ola de calor.

Heavy (jévi). Gordo.

Heavy (jévi). Pesado.

Heel (ji:l). Taco.

Heel (ji:l). Talón.

Hello (jelóu). Hola.

History

Hockey

Holiday

Help (jelp). Ayudar.

Help (jelp). Ayuda.

Help out (jélp áut). Ayudar.

Hepatitis (jepetáiris). Hepatitis.

Her (je:r). La, le, a ella.

Her (je:r). Su (de ella).

Herb (jérb). Hierba aromática.

Here (jir). Aquí, acá.

Herring (jéring). Arenque.

Hers (je:rz). De ella.

Hi (jái). Hola.

Hiccup (jíkap). Hipo.

High (jái). Alto.

High school (jái sku:l). Escuela secundaria.

Highway (jáiwei). Autopista.

Hiking (jáiking). Excursionismo.

Him (jim). Lo, le a él.

Hip (jip). Cadera.

Hire (jáir). Alquilar.

Hire (jáir). Contratar.

His (jiz). Su (de él).

History (jíste:ri). Historia.

Hobby (já:bi). Hobby.

Hockey (já:ki). Hockey.

Hole (jóul). Agujero.

Holiday (já:lidei). Feriado.

Holiday (já:lidei). Vacaciones.

Home (jóum). Hogar.

Home appliances (jóum epláiens). Artefacto para el hogar.

Home page (jóum péish). Página de inicio.

Homemade (jóumméid). Casero.

Homesick (jóumsik). Nostálgico.

Hometown (jóumtaun). Ciudad natal.

Homemade

Homework (jóumwe:k). Tareas del estudiante.

Homicide (já:mesáid). Homicidio.

Honest (á:nest). Honesto.

Honesty (á:nesti). Honestidad.

Honor (á:ner). Honor.

Hood (ju:d)). Capot.

Hope (jóup). Esperanza.

Hope (jóup). Esperar.

Horror (jó:re:r). Horror.

Horse (jo:rs). Caballo.

Horse

Horse racing (jo:rs réising). Carrera de caballos.

Horseback riding (jó:rsbæk ráiding). Equitación.

Host (jóust). Anfitrión.

Host (jóust). Presentador.

Hot (ja:t). Caliente.

Hot (ja:t). Caluroso.

Hotel (joutél). Hotel.

Hour (áur). Hora.

House (jáuz). Casa.

House

Housekeeper (jáuz ki:pe:r). Ama de llaves.

Humor

How (jáu). ¿Cómo?

How far (jáu fa:r). ¿A qué distancia?

How long (jáu la:ng). ¿Cuánto tiempo?

How many (jáu méni). ¿Cuántos?

How much (jáu mach). ¿Cuánto?

How often? (jáu a:ften). ¿Cuántas veces?

How old? (jáu óuld). ¿Cuántos años?

Humor (jiu:me:r). Humor.

Hundred (já:ndred). Cien.

Hunting (jánting). Caza.

Hurricane (hárikéin). Huracán.

Hurricane hunter. (hárikéin hánte:r). Cazador de huracanes.

Hurt (he:rt). Doler.

Husband (jázbend). Esposo.

Hymn (jim). Himno.

Hypocrite (jípekrit). Hipócrita.

Hurricane

I

Ice cream

I (ái). Yo.

I.D. Card (ái di: ka:rd). Documento de identidad.

Ice (áis). Hielo.

Ice cream (áis kri:m). Helado.

Ice hockey (áis ja:ki). Hockey sobre hielo.

Ice skating (áis skéiting). Patinaje sobre hielo.

Idea

Impolite

Industry

Iced tea (aís ti:). Té helado.

Idea (aidíe). Idea.

Illness (ílnes). Enfermedad.

Imaginative (imæshíneriv). Imaginativo.

Imagine (imæshin). Imaginar.

Immediate (imí:diet). Inmediato.

Immigration (imigréishen). Inmigración.

Impatient (impéishent). Impaciente.

Impolite (impeláit). Maleducado.

Important (impó:rtent). Importante.

Improve (imprú:v). Mejorar.

Impulse (ímpals). Impulso.

In (in). En.

In fact (in fækt). De hecho.

In front of (in fran:t ev). Enfrente de.

Inch (inch). Pulgada.

Income (ínkam). Ingreso.

Increase (inkrí:s). Aumentar.

Increase (ínkri:s). Aumento.

Incredible (inkrédibel). Increíble.

Indecisive (indisáisiv). Indeciso.

Indigent (índishent). Indigente.

Indigestion (indishéschen). Indigestión.

Industry (índestri). Industria.

Inexpensive (inekspénsiv). Barato.

Information (infe:rméishen). Información.

Infraction (infrækshen). Infracción.

Ingredient

Instrument

International

Ingredient (ingri:dient). Ingrediente.

Inhale (injéil). Inhalar.

Injury (ínsheri). Herida.

Ink (ink). Tinta.

Innocent (ínesent). Inocente.

Insect (ínsekt). Insecto.

Installment (instá:lment). Cuota.

Instructor (instrákte:r). Instructor.

Instrument (ínstrement). Instrumento.

Insurance (inshó:rens). Seguro.

Intelligent (intélishent). Inteligente.

Interest (íntrest). Interés.

Interest rate (íntrest réit). Tasa de interés.

Interesting (íntresting). Interesante.

International (inte:rnæshenel). Internacional.

Internet (íne:rnet). Internet.

Interpreter (inté:rprite:r). Intérprete.

Intersection (íne:rsékshen). Cruce de calles.

Interview (ínner:viu:). Entrevista.

Into (íntu:). Dentro.

Introduce (intredu:s). Presentar.

Invent (invént). Inventar.

Invention (invénshen). Invención.

Invitation (invitéishen). Invitación.

Invite (inváit). Invitar.

Iron (áiren). Hierro.

Iron (áiren). Planchar.

Iron

Irresponsible (irispá:nsible). Irresponsable.

Irritated (íritéirid). Irritado.

Is (is). Es.

It (it). Lo/le (a ello).

Itch (ich). Picar.

Its (its). Su (de animal, cosa o situación).

J

Jail

Jacket (shækit). Chaqueta.

Jail (shéil). Prisión.

Jam (shæm). Mermelada.

January (shænyu:eri). Enero.

Jar (sha:r). Frasco.

Jaw (sha:). Mandíbula.

Jealous (shéles) Celoso.

Jeans (shinz). Pantalones de jean.

Jelly (shéli). Jalea.

Jigsaw puzzle (shigsa: pázel). Rompecabezas.

Job (sha:b). Trabajo.

Jogging (sha:ging). Salir a correr.

Join (shoin). Unirse.

Joke (shóuk). Chiste, broma.

Judge (shash). Juez.

Juice (shu:s). Jugo.

July (shelái). Julio.

Juice

Justice

Jump (shamp). Saltar.

Jump (shamp). Salto.

June (shu:n). Junio.

Juror (shu:re:r). Miembro del jurado.

Jury (shu:ri). Jurado.

Just (sha:st). Recién.

Justice (shástis). Justicia.

K

Karate

Key

Karate (kerá:ri). Karate.

Keep away (ki:p ewái). Mantenerse alejado.

Keep track of (ki:p træk ev). Controlar.

Keep up with (ki:p ap wid). Mantener el ritmo.

Keep up with (ki:p ap wid). Mantenerse al día.

Key (ki:). Llave.

Kick (kik). Patear.

Kick off (kik a:f). Comenzar.

Kid (kid). Niño, chico.

Kidnap (kidnæp). Secuestrar.

Kidnapper (kidnæpe:r). Secuestrador.

Kidnapping (kidnæping). Secuestro.

Kill (kil). Matar.

Killer (kile:r). Asesino.

Kilogram (kílegræm). Kilogramo.

Knife

Kilometer (kilá:mire:r). Kilómetro.

Kind (káind). Amable.

Kiss (kis). Besar.

Kitchen (kíchen). Cocina.

Knee (ni:). Rodilla.

Knife (náif). Cuchillo.

Knitting (níting). Tejer.

Knock (na:k). Golpear repetidamente.

Knock down (na:k dáun). Derribar.

Knock out (na:k áut). Golpear a alguien hasta que se desvanece.

Knock out (na:k áut). Trabajar mucho.

Know (nóu). Conocer a alguien.

Know (nóu). Saber.

Knowledge (ná:lish). Conocimientos.

Knock out

L

Lamp

Labor (léibe:r). Laboral.

Labor (léibe:r). Trabajo de parto.

Lamb (læm). Cordero.

Lamp (læmp). Lámpara.

Land (lænd). Tierra.

Landlady (lændléidi). Locadora.

Landlord (lændlo:rd). Locador.

Lane (léin). Carril de una autopista.

Laugh

Language (længuish). Idioma.

Large (la:rsh). Grande.

Last (læst). Último.

Last name (læst néim). Apellido.

Late (léit). Tarde.

Laugh (læf). Reír.

Laughter (læfte:r). Risa.

Law (la:). Derecho.

Law (la:). Ley.

Lawful (lá:fel). Legal.

Lawful (lá:fel). Legítimo.

Lawn (la:n). Césped.

Lawyer (la:ye:r). Abogado.

Lay (léi). Colocar.

Lay off (léi a:f). Despedir del trabajo.

Lead (li:d). Liderar.

Learn

Learn (le:rn). Aprender.

Leather (léde:r). Cuero.

Leave (li:v). Dejar.

Leave (li:v). Partir.

Left (left). Izquierda.

Leg (leg). Pierna.

Legal (lí:gel). Legal.

Lemon (lémen). Limón.

Lemonade (lémeneid). Limonada.

Lemonade

Lend (lénd). Prestar.

Less (les). Menos.

Lick

Lie back

Liquid

Let down (let dáun). Desilusionar.

Letter (lére:r). Carta.

Letter (lére:r). Letra.

Lettuce (léres). Lechuga.

Level (lével). Nivel.

Lick (lik). Lamer.

Lie (lái). Acostarse.

Lie (lái). Mentir.

Lie back (lái bæk). Recostarse.

Lie behind (lái bi:jáind). Subyacer.

Lie down (lái dáun). Acostarse.

Lifeguard (láifgá:rd). Guardavida.

Lift (lift). Levantar.

Light (láit). Luz.

Light blue (láit blu:). Celeste.

Light brown (láit bráun). Castaño claro.

Light fixture (láit fiksche:r). Lámparas de techo.

Light-hearted (láit ja:rid). Alegre.

Lightning (láitning). Relámpago.

Like (láik). Como.

Like (láik). Gustar.

Limit (límit). Límite.

Line (láin). Fila.

Line (láin). Línea.

Lion (láien). León.

Liquid (líkwid). Líquido.

List (list). Lista.

Listen (lísen). Escuchar.

Little (lírel). Pequeño.

Live (liv). Vivir.

Living room (líving ru:m). Sala de estar.

Loan (lóun). Préstamo.

Lobby (lá:bi). Vestíbulo.

Lobster

Lobster (lá:bste:r). Langosta.

Log in (la:g in). Comenzar sesión en un sitio de Internet.

Log off (la:g a:f). Terminar sesión en sitio de Internet.

Log on (la:g a:n). Comenzar sesión en un sitio de Internet.

Log out (la:g áut). Terminar sesión en un sitio de Internet.

Lonely (lóunli). Solitario.

Long (lan:g). Largo.

Look after

Look (luk). Mirar.

Look after (luk æfte:r). Cuidar.

Look around (luk eráund). Recorrer.

Look for (luk fo:r). Buscar.

Look forward to (luk fó:rwe:rd tu:). Esperar ansiosamente.

Look like (luk láik). Parecerse.

Look up (luk ap). Buscar en (un diccionario).

Look up to (luk ap tu:). Admirar.

Lose (lu:z). Perder.

Loss (la:s). Pérdida.

Lost (lost). Perdido.

Love (lav). Amar.

Love

Luck

Love (lav). Amor.

Love (lav). Encantar.

Lover (lave:r). Amante.

Loveseat (lávsi:t). Sillón de dos cuerpos.

Low (lóu). Bajo.

Low-fat (lóu fæt). Bajo contenido graso.

Loyal (lóiel). Leal.

Loyalty (lóielti). Lealtad.

Luck (lak). Suerte.

Lucky (láki). Afortunado.

M

Madam

Mail

Ma'am (mem). Señora.

Machine (meshín). Máquina.

Mad (mæd). Furioso.

Madam (mædem). Señora.

Magazine (mægezí:n). Revista.

Maid (méid). Empleada doméstica.

Mail (méil). Correo.

Mail (méil). Enviar por correo.

Mailing list (méiling list). Lista de correo.

Mailman (méilmen). Cartero.

Main (méin). Principal.

Main dish (méin dish). Plato principal.

Make (méik). Hacer.

Man

Make (méik). Marca.

Make off with (méik a:f wid). Robar.

Make out (méikáut). Entender con dificultad.

Make up (méik ap). Inventar una excusa.

Make up for (méik ap fo:r). Compensar.

Make up with (meik ap wid). Amigarse con alguien.

Man (mæn). Hombre.

Manager (mænishe:r). Gerente.

Mango (mængou). Mango.

Manicurist (meníkiu:rist). Manicura.

Manufacturer (mænyufækche:re:r). Fabricante.

Many (mæni). Muchos.

March (ma:rch). Marzo.

Marinade (mærineid). Marinar.

Market

Mark (ma:rk). Nota.

Mark (ma:rk). Puntaje.

Market (má:rket). Mercado.

Marmalade (Má:rmeleid). Mermelada.

Married (mérid). Casado.

Martial arts (má:rshel a:rts). Artes marciales.

Mass (mæs). Masa.

Mass (mæs). Misa.

Mass media (mæs mi:die). Medios de comunicación masiva.

Massage

Massage (mesá:sh). Masaje.

Match (mæch). Combinar.

Match (mæch). Partido.

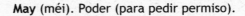

Measure

May (méi). Poder (para pedir permiso).

May (méi). Mayo.

Mayor (méie:r). Alcalde.

Me (mi:). Me, a mí.

Meal (mi:l). Comida.

Mean (mi:n). Significar.

Meaning (mi:ning). Significado.

Measure (méshe:r). Medida.

Measure (méshe:r). Medir.

Measurement (méshe:rment). Medida.

Meat (mi:t). Carne.

Mechanic (mekænik). Mecánico.

Media (mi:die). Medios de comunicación.

Medicine (médisen). Medicina.

Medium (mi:diem). Mediano.

Meat

Medium (mí:diem). Medianamente cocida.

Meet (mi:t). Conocer a alguien.

Meet (mi:t). Encontrarse con alguien.

Meeting (mí:ting). Reunión.

Melon (mélen). Melón.

Melt (mélt). Derretir.

Men (men). Hombres.

Menu (ményu:). Menú.

Mess (mes). Desorden.

Message (mésish). Mensaje.

Microwave oven

Metal (mérel). Metal.

Microwave oven (máikreweiv óuven). Horno a microondas.

Milk shake

Mile (máil). Milla.

Milk (milk). Leche.

Milk shake (milk shéik). Licuado.

Millimeter (mílimi:re:r). Milímetro.

Million (mílien). Millón.

Mince (míns). Picar.

Mine (máin). Mío/a.

Mirror (míre:r). Espejo.

Miss (mis). Señorita.

Mix (miks).Mezclar.

Mix up (miks ap). Desordenar.

Mix up (miks ap). Confundir.

Mixed (míkst). Mezclado.

Mixture (míksche:r). Mezcla.

Model (má:del). Modelo.

Mold (móuld). Moho.

Mince

Moment (móument). Momento.

Monday (mándei). Lunes.

Money (máni). Dinero.

Money order (máni ó:rde:r). Giro postal.

Money Transfer (máni trænsfe:r), Transferencias de dinero.

Monkey (mánkei). Mono.

Month (mánz). Mes.

Monthly payment (mánzli péiment). Pago mensual.

Money

Mood (mu:d). Estado de ánimo.

Moon (mu:n). Luna.

Mother

Mouse

Mug

More (mo:r). Más.

Morning (mo:rning). Mañana.

Mortgage (mo:rgish). Hipoteca.

Mosquito (meskí:reu). Mosquito.

Mother (máde:r). Madre.

Motorboat (móure:rbout). Lancha.

Mountaineering (maunteníring). Alpinismo.

Mouse (máus). Ratón.

Moustache (mástæsh). Bigote.

Mouth (máuz). Boca.

Move (mu:v). Mover.

Move (mu:v). Mudarse.

Move away (mu:v ewái). Mudarse.

Move in (mu:v in). Vivir en un lugar nuevo.

Move out (mu:v áut). Salir del paso.

Movement (mu:vment). Movimiento.

Movie (mu:vi). Película.

Mr. (míste:r). Señor.

Mrs. (mísiz). Señora.

Ms. (mez). Señora o señorita.

Much (ma:ch). Mucho.

Mug (mag). Asaltar.

Mug (mag). Tazón.

Mugger (máge:r). Asaltante.

Mumps (mámps). Paperas.

Murder (mé:rde:r). Asesinar.

Murder (mé:rde:r). Asesinato.

Mushroom

Murderer (mé:rdere:r). Asesino.

Muscle (másel). Músculo.

Museum (myu:ziem). Museo.

Mushroom (máshru:m). Hongo.

Music (myu:zik). Música.

Must (mast). Deber, estar obligado a.

My (mái). Mi.

Mystery (místeri). Misterio.

N

Nail

Nail (néil). Clavo.

Nail (néil). Uña.

Name (néim). Nombrar.

Name (néim). Nombre.

Name after (néim á:fte:r). Ponerle el nombre de un familiar.

Nanny (næni). Niñera.

Nation (néishen). Nación.

Nationality (næshenæliri). Nacionalidad.

Naturalization (næchera:laizéishen). Naturalización.

Nature (néiche:r). Naturaleza.

Navigate (nævigéit). Navegar.

Navy blue (néivi blu:). Azul marino.

Near (nir). Cerca.

Necessary (néseseri). Necesario.

Nanny

New Year

Neck (nek). Cuello.

Need (ni:d). Necesitar.

Neither... nor (ní:de:r/náide:r...no:r). Ni... ni.

Nephew (néfyu:). Sobrino.

Nervous (nérves). Nervioso.

Network (nétwe:rk). Red.

Never (néve:r). Nunca.

New (nu:). Nuevo.

New Year (nu: yir). Año Nuevo.

News (nu:z). Noticias.

Newspaper

Newspaper (nu:spéiper). Diario.

Next (nékst). Próximo.

Next to (neks te). Al lado de.

Nice (náis). Agradable.

Nickel (níkel). Cinco centavos de dólar.

Niece (ni:s). Sobrina.

Night (náit). Noche.

Nightstand (náitstænd). Mesita de noche.

Nine (náin). Nueve.

Nineteen (naintí:n). Diecinueve.

Ninety (náinri). Noventa.

Ninth (náinz). Noveno.

No (nou). No.

Noise (nóiz). Ruido.

Non-alcoholic (na:n elkejóulik). Sin alcohol.

Nonresident (na:nrézident). No residente.

Nose (nóuz). Nariz.

Night

Nurse

Nostrils (ná:strils). Fosas nasales.

Not (not). No.

Notary (nóure:ri). Notario.

Nothing (názing). Nada.

Notify (nóurefái). Notificar.

November (nouvémbe:r). Noviembre.

Number (namber). Número.

Nurse (ners). Enfermera.

Nut (nat). Tuerca.

Nutmeg (nátmeg). Nuez moscada.

Nutritious (nu:tríshes). Nutritivo.

Nut

O

O.K. (óu kéi). De acuerdo.

O.K. (óu kéi). Muy bien.

O.T.C. (óu ti: si:). Medicinas de venta libre.

O'clock (eklá:k). En punto.

Oath (óuz). Juramento.

Obese (oubí:s). Obeso.

Obesity (oubí:se:ri). Obesidad.

October (a:któube:r). Octubre.

Octopus

Octopus (ektá:pes). Pulpo.

Of (ev). De.

Offer (á:fe:r). Oferta.

Office (á:fis). Oficina.

On sale

Onion

Operate

Office clerk (a:fis kle:rk). Empleado de oficina.

Official (efíshel). Oficial.

Often (á:ften). A menudo.

Oil (óil). Aceite.

Old (óuld). Viejo.

On (a:n). Sobre.

On bail (a:n béil). Libertad bajo fianza.

On parole (a:n peróul). Libertad bajo palabra.

On probation (a:n proubéishen). Libertad condicional.

On sale (a:n séil). En rebaja.

Once (uáns). Una vez.

One (wan). Uno.

Onion (á:nyon). Cebolla.

Only (óunli). Solamente.

Open (óupen). Abrir.

Operate (á:pereit). Operar.

Opportunity (epertú:neri). Oportunidad.

Optimistic (a:ptimístik). Optimista.

Option (á:pshen). Opción.

Or (o:r). O.

Orange (á:rinsh). Anaranjado.

Orange (á:rinsh). Naranja.

Order (á:rde:r). Ordenar.

Oregano (o:régene). Orégano.

Organic (o:rgænik). Orgánico.

Other (á:de:r). Otro.

Ounce (áuns). Onza.

Our (áuer). Nuestro.

Ours (áuers). Nuestro.

Out (áut). Afuera.

Outgoing (autgóuing). Extrovertido.

Outside (autsáid). Afuera.

Oven (óuven). Horno.

Over (óuve:r). Por encima.

Over there (óuve:r der). Por allá.

Overcoat (óuve:rkout). Sobretodo.

Overdraft (óuverdraft). Sobregiro.

Overweight (óuverweit). Excedido en peso.

Overcoat

Oyster (óiste:r). Ostra.

P

Paint

Pancake

P. M. (pi: em). Después del mediodía.

Pack (pæk). Paquete.

Package (pækish). Paquete.

Packaging (pækeshing). Embalaje.

Page (péish). Página.

Painful (péinfel). Doloroso.

Painless (péinless). Indoloro.

Paint (péint). Pintar.

Painting (péinting). Pintura.

Pair (per). Par.

Pajamas (pishæ:mez). Pijama.

Pale (péil). Pálido.

Palm (pa:lm). Palma.

Pancake (pænkeik). Panqueques.

Parachuting

Parrot

Party

Pants (pænts). Pantalones largos.

Paper (péipe:r). Papel

Parachute (péreshu:t). Paracaídas.

Parachuting (pereshú:ting). Paracaidismo.

Parents (pérents). Padres.

Park (pa:rk). Estacionar.

Park (pa:rk). Parque.

Park ranger (pa:rk réinshe:r). Guardaparques.

Parking brake (pa:rking bréik). Freno de manos.

Parking lot (pa:rking lot). Estacionamiento.

Parrot (péret). Loro.

Parsley (pá:rslei). Perejil.

Part-time (pa:rt táim). Media jornada.

Party (pá:ri). Fiesta.

Party (pá:ri). Partido político.

Pasar (pæs). Pasar (dar).

Pass (pæs). Aprobar.

Pass (pæs). Pasar (atravesar).

Pass (pæs). Pasar (transcurrir).

Pass away (pæs ewéi). Morir.

Pass by (pæs bái). Pasar por un lugar sin detenerse demasiado.

Pass on (pæs a:n). Evitar hacer algo.

Pass out (pæs áut). Desmayarse.

Passport (pæspo:rt). Pasaporte.

Password (pæswe:rd). Contraseña.

Pasta (pæste). Pasta.

Peach

Pencil

Pepper

Patient (péishent). Paciente.

Pay (péi). Pagar.

Pay back (péi bæk). Devolver dinero.

Pay for (péi fo:r). Pagar las consecuencias.

Pay off (péi a:f). Resultar beneficioso.

Pea (pi:). Arveja.

Peach (pi:ch). Melocotón.

Peacock (pí:ka:k). Pavo real.

Peanut (pí:nat). Maní.

Peanut butter (pí:nat báre:r). Manteca de maní.

Pear (pér). Pera.

Pedestrian (pedéstrien). Peatón.

Pelvis (pélvis). Pelvis.

Pen (pen). Bolígrafo.

Penalty fee (pénalti fi:). Multa.

Pencil (pénsil). Lápiz.

Penny (péni). Un centavo de dólar.

People (pí:pel). Gente.

Pepper (pépe:r). Pimienta.

Pepper (pépe:r). Pimiento.

Per (per). Por.

Perfect (pé:rfekt). Perfecto.

Perfectly (pé:rfektli). Perfectamente.

Permanent (pérmenent). Permanente.

Permit (pé:rmit). Permiso.

Person (pé:rsen). Persona.

Phone

Photograph

Piece

Personal assistant (pé:rsenel asístent). Asistente personal.

Pessimistic (pesimístik). Pesimista.

Pet (pet). Mascota.

Pharmacist (fá:rmesist). Farmacéutico.

Philosophy (filá:sefi). Filosofía.

Phone (fóun). Teléfono.

Phone card. (fóun ka:rd). Tarjeta telefónica.

Photo(fóure). Foto.

Photocopier (fóureka:pie:r). Fotocopiadora.

Photograph (fóuregræf). Fotografía.

Photographer (fetá:grefe:r). Fotógrafo.

Photography (foutóugrefi). Fotografía.

Physical (físikel). Física.

Physician (fizíshen). Médico.

Pick at (pik æt). Comer muy poco.

Pick out (pik áut). Elegir.

Pick up (pik ap). Pasar a buscar.

Pick up (pik ap). Recoger.

Picture (píkche:r). Cuadro.

Picture (píkche:r). Foto.

Pie (pái). Pastel.

Piece (pi:s). Porción.

Pig (pig). Cerdo.

Pigeon (pí:shen). Paloma.

Pillow (pílou). Almohada.

Pilot (páilet). Piloto.

Pineapple (páinæpl). Piña.

Ping Pong (ping pa:ng). Tenis de mesa.

Pink (pink). Rosa.

Place (pléis). Lugar.

Plaintiff (pléintif). Demandante.

Plan (plæn). Planificar.

Plane

Plan (plæn). Plano.

Plan on (plæn a:n). Planear.

Plane (pléin). Avión.

Play (pléi). Jugar.

Play back (pléi bæk). Repetir algo grabado.

Play down (pléi dáun). Quitar importancia.

Play off (pléi a:f). Jugar eliminatorias.

Play station (pléi stéishen). Juegos electrónicos.

Plumber

Play up (pléi ap). Dar importancia.

Player (pléie:r). Jugador.

Pleasure (pléshe:r). Placer.

Plug (plag). Enchufe.

Plum (plam). Ciruela.

Plumber (pláme:r). Plomero.

Poach (póuch). Cocinar a baño María.

Point (póint). Señalar.

Poison (póisen). Envenenar.

Poison (póisen). Veneno.

Point

Pole (póul). Poste.

Police (pelí:s). Policía.

Pool

Pork

Pour

Policy (pá:lesi). Póliza.

Polite (peláit). Cortés.

Politician (pa:letíshen). Político.

Politics (pá:letiks). Política.

Poll (póul). Encuesta.

Pollution (pelú:shen). Polución.

Polo (póulou). Polo.

Pool (pu:l). Billar Americano.

Poor (pur). Pobre.

Popular (pa:pyu:le:r). Popular.

Pork (po:rk). Cerdo.

Port (po:rt). Puerto.

Post office (póust á:fis). Oficina de correos.

Postman (póustmen). Cartero.

Potato (petéirou). Papa.

Pottery (pá:reri). Cerámica.

Pound (páund). Libra.

Pour (po:r). Verter.

Powerful (páue:rfel). Poderoso.

Prawn (pra:n). Langostino.

Prefer (prifé:r). Preferir.

Preheat (pri:ji:t). Precalentar.

Prepaid (pripéd). Prepaga.

Prepare (pripé:r). Preparar.

Prescription (preskrípshen). Receta médica.

President (prézident). Presidente.

Press (prés). Prensa.

Press

Printer

Pumpkin

Press (prés). Presionar.

Pretty (príri). Bonito.

Pretty (príri). Muy.

Price (práis). Precio.

Primary school (práime:ri sku:l). Escuela primaria.

Printer (príne:r). Impresora.

Priority (praió:reri). Prioridad.

Prison (prí:sen). Prisión.

Problem (prá:blem). Problema.

Procedure (presí:she:r). Procedimiento.

Product (prá:dekt). Producto.

Profession (preféshen). Profesión.

Professional (preféshenel). Profesionales.

Programmer (prougræme:r). Programador.

Promise (prá:mis). Prometer.

Prosecutor (prá:sikyú:re:r). Fiscal.

Protection (pretékshen). Protección.

Proud (práud). Orgulloso.

Provide (preváid). Proveer.

Provide for (preváid for:). Mantener económicamente.

Provider (preváide:r). Proveedor.

Psychiatrist (saikáietrist). Psiquiatra.

Psychology (saiká:leshi). Psicología.

Pull (pul). Tire.

Pulse (pa:ls). Pulso.

Pumpkin (pá:mpkin). Calabaza.

Purchase (paercheis). Adquirir.

Purchaser (pe:rché:ser). Comprador.

Push (push). Empujar.

Push (push). Empuje.

Put (put). Poner.

Put aside (put esáid). Separar para un uso específico.

Put away

Put away (put ewéi). Guardar.

Put back (put bæk). Poner en su lugar.

Put down (put dáun). Apoyar en el piso.

Put down (put dáun). Bajar.

Put off (put a:f). Postergar.

Put on (put a:n). Aumentar.

Put on (put a:n). Ponerse la ropa.

Put out (put áut). Apagar algo encendido.

Put up (pik ap). Levantar.

Put up (put ap). Construir.

Put down

Put up with (put ap wid). Tolerar.

Puzzled (pá:zeld). Perplejo.

Q

Question

Quarter (kuá:re:r). Veinticinco centavos de dólar.

Question (kuéschen). Pregunta.

Quick (kuík). Rápido.

Quite (kuáit). Bastante.

R

Rabbit

Rainy

Receptionist

Rabbit (ræbit). Conejo.

Radiation (reidiéishen). Radiación.

Radiator (réidieire:r). Radiador.

Radio (réidiou). Radio.

Radioactivity (reidioæktíveri). Radioactividad.

Rain (réin). Lluvia.

Raincoat (réinkout). Impermeable.

Rainy (réini). Lluvioso.

Raise (réiz). Levantar.

Rape (réip). Violación (ataque sexual).

Rapist (réipist). Violador.

Rare (rer). Cocción jugosa.

Rarely (ré:rli). Raramente.

Raspberry (ræspberi). Frambuesa.

Rate (réit). Tarifa.

Read (ri:d). Leer.

Ready (rédi). Listo.

Really (ríeli). Realmente.

Reapply (ri:eplái). Volver a solicitar.

Receive (risí:v). Recibir.

Receptor (risépte:r). Receptor.

Receptionist (risépshenist). Recepcionista.

Recipe (résipi). Receta.

Recommend (rekeménd). Recomendar.

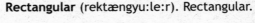

Recycle

Relationship

Religion

Rectangular (rektængyu:le:r). Rectangular.

Recycle (risáikel). Reciclar.

Red (red). Rojo.

Red wine (red wáin). Vino tinto.

Red-haired (red jerd). Pelirrojo.

Reduce (ridú:s). Reducir.

Re-entry (riéntri). Reingreso.

Reference (réferens). Referencia.

Referral (riférel). Recomendación.

Refill (rifíl). Recargar.

Refrigerator (rifríshe:reire:r). Refrigerador.

Refugee (réfyu:shi:). Refugiado.

Refund (rífand). Reembolso.

Regular (régyu:ler). Regular.

Regulation (regyu:léishen). Reglas.

Relation (riléishen). Relación.

Relationship (riléishenship). Relación.

Relax (rilæks). Descansar.

Relaxed (rilækst). Relajado.

Relaxing (rilæksing). Relajante.

Reliable (riláiebel). Confiable.

Relieved (rili:vd). Aliviado.

Religion (rilí:shen). Religión.

Reluctant (riláktent). Reticente.

Remember (rimémbe:r). Recordar.

Remind (rimáind). Recordar algo.

Remote control (rimóut kentróul). Control remoto.

Reporter

Ride

Ring

Rent (rent). Rentar.

Repeat (ripí:t). Repetir.

Reporter (ripó:re:r). Reportero.

Republic (ripáblik). República.

Requirement (rikuáirment). Requisito.

Reschedule (riskéshu:l). Reprogramar.

Resentful (riséntfel). Resentido.

Reservation (reze:rvéishen). Reserva.

Resident (rézident). Residente.

Responsible (rispá:nsibel). Responsable.

Rest (rest). Descansar.

Restaurant (résteren). Restaurante.

Résumé (résyu:mei). Currículum vitae.

Retire (ritáir). Jubilarse.

Retirement (ritáirment). Jubilación.

Return (rité:rn). Devolver.

Review (riviú:). Revisión.

Rib (rib). Costilla.

Rice (ráis). Arroz.

Riddle (rídel). Adivinanza.

Ride (ráid). Andar en bicicleta o a caballo.

Ride (ráid). Paseo.

Right (ráit). Correcto.

Right (ráit). Derecha.

Right here (ráit jir). Aquí mismo.

Right now (ráit náu). Ahora mismo.

Ring (ring). Anillo.

River

Rocker

Run

Ring (ring). Sonar.

River (ríve:r). Río.

Road (róud). Camino.

Roast (róust). Cocinar al horno.

Robber (rá:be:r). Ladrón.

Robbery (rá:beri). Robo.

Rocker (rá:ke:r). Mecedora.

Roll (róul). Panecillo.

Romance (róumens). Romance.

Roof (ru:f). Techo.

Room (ru:m). Habitación.

Roommate (rú:mmeit). Compañero de cuarto.

Rosé wine (rouzéi wáin). Vino rosado.

Rosemary (róuzmeri). Romero.

Round (ráund). Redondo.

Rowing (róuing). Remo.

Rude (ru:d). Maleducado.

Rug (rág). Alfombra pequeña.

Rugby (rágbi). Rugby.

Rum (ram). Ron.

Run (ran). Correr.

Run away (ran ewéi). Escapar.

Run into (ran intu:). Encontrarse con alguien por casualidad.

Run out of (ran áut ev). Acabarse.

Run over (ran óuve:r). Atropellar.

Ruthless (ru:zles). Cruel.

S

Sailing

Salt

Satellite

Sad (sæd). Triste.

Safe (séif). Caja de seguridad.

Safe (séif). Seguro.

Saffron (sæfren). Azafrán.

Sailing (séiling). Navegación a vela.

Salad (sæled). Ensalada.

Salesclerk (séilskle:k). Vendedor.

Salesperson (séilspe:rsen). Vendedor.

Salmon (sælmen). Salmón.

Salt (sa:lt). Sal.

Same (seim). Mismo.

Sardine (sá:rdain). Sardina.

Satellite (sætelait). Satélite.

Satellite dish (sætelait dish). Antena satelital.

Satisfied (særisfáid). Satisfecho.

Saturday (sære:rdei). Sábado.

Save (séiv). Ahorrar.

Save (séiv). Salvar.

Savings account (séivingz ekáunt). Cuenta de ahorros.

Saw (sa:). Serrucho.

Say (séi). Decir.

Scaffold (skæfeld). Andamio.

Scale (skéil). Balanza.

Scam (skæm). Fraude informático.

Scissors

Scanner (skæne:r). Escáner.

Scarf (ska:rf). Bufanda .

School (sku:l). Escuela.

Science (sáiens). Ciencia.

Science fiction (sáiens fíkshen). Ciencia ficción.

Scissors (sí:ze:rs). Tijera.

Scratch (skræch). Rascar.

Screw (skru:). Atornillar.

Screw driver (skru: dráive:r). Destornillador.

Screw up (skru: ap). Arruinar.

Sea (si:). Mar.

Seafood (sí:fud). Frutos del mar.

Seal (si:l). Sellar.

Seal (si:l). Sello.

Sear (sir). Freír con fuego fuerte.

Search (se:rch). Buscar.

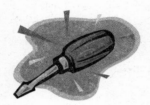

Screw driver

Season (sí:zen). Estación del año.

Season (sí:zen). Temporada.

Seat (si:t). Asiento.

Second (sékend). Segundo.

Secondary school (sékende:ri sku:l). Escuela secundaria.

Secretary (sékrete:ri). Secretaria.

Security guard (sekyú:riti ga:rd). Guardia de seguridad

See (si:). Ver.

Seal

See out (si: áut). Acompañar hasta la salida.

See through (si: zru:). Continuar con algo hasta el final.

Sell

Serve

Settle down

See to (si: tu:). Encargarse de algo.

Seem (si:m). Parecer.

Selective (siléktiv). Selectivo.

Self-centered (self séne:rd). Egocéntrico.

Self-confident (self ka:nfident). Seguro de sí mismo.

Self-conscious (self ká:nshes). Inseguro.

Selfish (sélfish). Egoísta.

Sell (sel). Vender.

Sell out (sel aút). Vender hasta agotar.

Seller (séle:r). Vendedor.

Send (sénd). Enviar.

Sender (sénde:r). Remitente.

Sense (séns). Sentido.

Sensible (sénsibel). Sensato.

Sensitive (sénsitiv). Sensible.

Separate (sépe:reit). Separar.

September (septémbe:r). Septiembre.

Serve (se:rv). Servir.

Service (sé:rvis). Servicios.

Set in (set in). Comenzar.

Set off (set a:f). Hacer explotar.

Set off (set a:f). Salir de viaje.

Set out (set áut). Llevar a cabo.

Set up (set ap). Establecer.

Settle (sérl). Establecerse en un lugar.

Settle (sérl). Ponerse cómodo.

Settle down (sérl dáun). Calmarse.

Settle up (sérl ap). Pagar las deudas.

Seven (séven). Siete.

Seventeen (seventí:n). Diecisiete.

Seventh (sévenz). Séptimo.

Seventy (séventi). Setenta.

Sew (sóu). Coser.

Sex (séks). Sexo.

Shabby (shæbi). Desprolijo.

Shake hands (shéik jændz). Dar la mano.

Shark (sha:rk). Tiburón.

Shaving lotion (shéiving lóushen). Loción para afeitar.

She (shi:). Ella.

Sheep (shi:p). Oveja .

Sheet (shi:t). Hoja de papel.

Sheet (shi:t). Sábana.

Shelf (shelf). Estante.

Sherry (shéri). Jerez.

Shine (sháin). Brillar.

Ship (ship). Barco.

Ship (ship). Enviar.

Shipment (shipment). Envío.

Shirt (shé:rt). Camisa.

Shiver (shíve:r). Tiritar.

Shocked (sha:kt). Conmocionado.

Shoe (shu:). Zapato

Shop around (sha:p eráund). Salir de compras.

Sew

Shark

Ship

Shopping

Shorts

Shrimp

Shoplifter (shá:plifte:r). Ladrón de tiendas.

Shoplifting (shá:plifting). Hurto en tiendas.

Shopping (shá:ping). Compras.

Shopping center (sha:ping séne:r). Centro comercial.

Shopping list (shá:ping list). Lista de compras.

Short (sho:rt). Bajo.

Short (sho:rt). Corto.

Shorten (sho:rten). Acortar.

Shorts (sho:rts). Pantalones cortos.

Short-sighted (sho:rt sáirid). Corto de vista.

Should (shud). Deber (para dar consejos).

Shoulder (shóulde:r). Hombro.

Show (shóu). Espectáculo.

Show (shóu). Mostrar.

Show around (shóu eráund). Mostrar un lugar.

Show off (shóu a:f). Jactarse.

Show up (shóu ap). Llegar.

Shrimp (shrimp). Camarón.

Shut (shat). Cerrar.

Shut up (shat ap). Callarse.

Shy (shái). Tímido.

Sick (sik). Enfermo.

Sideburn (sáidbe:rn). Patilla.

Sift (sift). Tamizar.

Sigh (sái). Suspirar.

Sight (sáit). Vista.

Singer

Sit

Skiing

Sign (sáin). Firmar.

Sign up (sáin ap). Registrarse.

Simmer (síme:r). Cocinar con líquido.

Since (sins). Desde.

Sing (sing). Cantar.

Singer (sínge:r). Cantante.

Sir (se:r). Señor.

Sister (síste:r). Hermana.

Sit (sit). Sentarse.

Sitcom (sítkam). Comedia.

Site (sáit). Sitio.

Six (síks). Seis.

Sixteen (sikstí:n). Dieciséis.

Sixth (síksz). Sexto

Sixty (síksti). Sesenta.

Size (sáiz). Talla.

Skate (skéit). Patinar.

Skating (skéiring). Patinaje.

Skeptical (sképtikel). Escéptico.

Ski (ski:). Esquiar.

Skiing (ski:). Esquí sobre nieve.

Skill (skil). Habilidad.

Skim milk (skim milk). Leche descremada.

Skin (skin). Piel.

Skin care (skín ker). Cuidado de la piel.

Skinny (skíni). Muy flaco.

Skirt (ske:rt). Falda.

Skull (skal). Cráneo.

Sky (skái). Cielo.

Sledgehammer (sléshjæme:r). Maza.

Sleep (sli:p). Dormir.

Sleeve (sli:v). Manga.

Slim (slim). Delgado.

Slipper (slipe:r). Pantufla.

Slipper

Slow down (slóu dáun). Disminuir el nivel de actividad.

Slow down (slóu dáun). Disminuir la marcha.

Slowly (slóuli). Lentamente.

Small (sma:l). Pequeño.

Smart (sma:rt). Inteligente.

Smell (smel). Oler.

Smelly (sméli). Oloroso.

Smog (sma:g). Niebla espesa.

Smoke (smóuk). Fumar.

Smelly

Snail (snéil). Caracol.

Snap (snæp). Chasquear los dedos.

Snap up (snæp ap). Comprar algo hasta que se agote.

Sneaker (sni:ke:r). Zapato tenis.

Sneeze (sni:z). Estornudar.

Snore (sno:r). Roncar.

Snow (snóu). Nieve.

Snowy (snóui). Nevoso.

So (sóu). Así, de esta manera.

Snail

So (sóu). Por lo tanto.

Soap (sóup). Jabón.

Soccer

Soccer (sá:ke:r). Fútbol.

Social (sóushel). Social.

Social Security (sóushel sekiurity). Seguro social.

Society (sesáieri). Sociedad.

Socket (sá:kit). Tomacorriente.

Socks (sa:ks). Calcetines.

Soda (sóude). Refresco.

Sofa (sóufe). Sofá.

Soft drink (sa:ft drink). Bebida sin alcohol.

Solar energy (sóule:r éne:rshi). Energía solar.

Sold (sóuld). Vendido.

Soldier (sóulshe:r). Soldado.

Sole (sóul). Lenguado.

Sole (sóul). Planta del pie.

Sofa

Some (sæm). Algunos.

Somebody (sámba:di). Alguien.

Someone (sámuen). Alguien.

Something (sámzing). Algo.

Sometimes (sámtaimz). A veces.

Son (san). Hijo.

Song (sa:ng). Canción.

Soon (su:n). Pronto.

Sore (so:r). Dolorido.

Sore throat (so:r zróut). Dolor de garganta.

Soup

Sound (sáund). Sonar.

Soup (su:p). Sopa.

Space (spéis). Espacio.

Sport

Spring

Stair

Spam (spæm). Correo basura.

Speak (spi:k). Hablar.

Special (spéshel). Especial.

Speed (Spi:d). Moverse velozmente.

Speed (spi:d). Velocidad.

Speed up (spi:d ap). Acelerar.

Spell (spel). Deletrear.

Spend (spénd). Gastar.

Spice (spáis). Especia.

Spinster (spínste:r). Solterona.

Spit out (spit áut). Contar.

Spit up (spit ap). Vomitar (un bebé).

Sport (spo:rt). Deporte.

Sportswear (spo:rtswer). Ropa deportiva.

Spread (spréd). Dispersar.

Spread (spréd). Untar.

Spring (spring). Primavera.

Sprinkle (sprínkel). Espolvorear.

Spruce up (spru:s ap). Arreglar un lugar, arreglarse una persona.

Spyware (spáiwer). Software espía.

Square (skwér). Cuadrado.

Squid (skwíd). Calamar.

Stair (stér). Escalera.

Stamp (stæmp). Estampilla.

Stand (stænd) Pararse.

Stand by (stænd). Apoyar a alguien.

Start (sta:rt). Comenzar.

Steering wheel

Starter (stá:re:r). Entrada.

State (stéit). Estado.

Station (stéishen). Estación.

Stay (stéi). Estadía.

Stay (stéi). Hospedarse.

Stay (stéi). Quedarse.

Stay up (stéi ap). Quedarse levantado.

Steak (stéik). Filete.

Steal (sti:l). Robar.

Steam (sti:m). Vapor.

Steering wheel (stiring wi:l). Volante.

Still (stil). Aún.

Still (stil). Todavía.

Stir (ste:r). Revolver.

Stocky (sta:ki). Robusto.

Stomach (stá:mek). Estómago.

Stomachache (stá:mekeik). Dolor de estómago.

Stool (stu:l). Banqueta.

Stop (sta:p). Parar.

Stop by (sta:p bái). Visitar por un corto período.

Store (sto:r). Tienda.

Stove (stóuv). Cocina.

Straight (stréit). Derecho.

Straight (stréit). Lacio.

Straight-forward (stréit fó:rwe:rd). Derecho.

Straight forward (stréit fó:rwe:rd). Frontal, sincero.

Stranger (stréinshe:r). Desconocido.

Store

Straight

Strawberries

Suitcase

Sun

Strawberries (strá:beri). Fresas.

Street (stri:t). Calle.

String beans (string bi:ns). Judías verdes.

Stubborn (stábe:rn). Terco.

Student (stú:dent). Estudiante.

Study (stádi). Estudiar.

Stuff (staf). Cosas por el estilo.

Stuff (staf). Rellenar.

Stuffed (stáft). Relleno.

Style (stáil). Estilo.

Subject (sábshekt). Asunto.

Subject (sábshekt). Materia.

Subway (sábwei). Subterráneo.

Suck (sak). Chupar.

Suffer (sáfe:r). Sufrir.

Sugar (shúge:r). Azúcar.

Suggest (seshést). Sugerir.

Suit (su:t). Quedar bien (una prenda).

Suit (su:t). Traje.

Suitcase (sú:tkeis). Maleta.

Summer (sáme:r). Verano.

Sun (sán). Sol.

Sunday (sándei). Domingo.

Sunglasses (sánglæsiz). Anteojos de sol.

Sunny (sáni). Soleado.

Supermarket (su:pe:rmá:rket). Supermercado.

Supplement (sáplement). Suplemento.

Surprise

Support (sepo:rt). Apoyo.

Support (sepo:rt). Sustento.

Suppose (sepóuz). Suponer.

Surf (se:rf). Navegar.

Surprise (se:rpráiz). Sorpresa.

Surprised (se:rpráizd). Sorprendido.

Suspect (sákspekt). Sospechoso.

Swallow (swálou). Tragar.

Swear (swer). Jurar.

Sweat (swet). Transpirar.

Sweater (suére:r). Suéter.

Sweep (swi:p). Barrer.

Sweet (swi:t). Dulce.

Sweet potato (swi:t petéirou). Batata.

Swell (swél). Hincharse.

Swim (swim). Nadar.

Swimming (swíming). Natación.

Swimming pool (swíming pu:l). Piscina.

Sympathetic (simpezérik). Comprensivo.

Swim

T

Table

T-shirt (ti: shé:rt). Camiseta.

Table (téibel). Mesa.

Table tennis (téibel ténis). Tenis de mesa.

Tactless (tæktles). Sin tacto.

Take

Take off

Talk

Tail (téil). Cola (de un animal).

Tailor (téile:r). Sastre.

Take (téik). Llevar.

Take (téik). Tardar.

Take (téik). Tomar.

Take after (téik a:fte:r). Parecerse a un familiar.

Take away (téik ewéi). Quitar.

Take off (téik off). Levantar vuelo.

Take off (téik a:f). Quitarse la ropa.

Take out (téik áut). Obtener un préstamo.

Take out (téik áut). Quitar.

Take out (téik áut). Sacar dinero de un banco .

Take up (téik ap). Comenzar un hobby.

Take-out food (téik áut fu:d). Comida para llevar.

Talk (ta:k). Conversar.

Talk into (ta:k intu:). Convencer a alguien de que haga algo.

Talk out of (ta:k áut ev). Convencer a alguien de que no haga algo.

Talk show (ta:k shóu). Programa de entrevistas.

Tall (ta:l). Alto.

Tangerine (tænsheri:n). Mandarina.

Target shooting (tá:rget shú:ring). Tiro al blanco.

Taste (téist). Gusto.

Taste (téist). Probar comida.

Tax (tæks). Impuesto.

Taxi (tæksi). Taxi.

Taxi driver (tæksi dráive:r). Conductor de taxi.

Telephone operator

Television

Tennis

Tea (ti:). Té.

Teach (ti:ch). Enseñar.

Teacher (tí:che:r). Maestro.

Teacher (tí:che:r). Profesor.

Tear (ter). Rasgar.

Tear (tir). Lágrima.

Tear apart (ter epá:rt). Destruir una construcción.

Tear up (ter ap). Rasgar.

Technical (téknikel). Técnico.

Technician (tekníshen). Técnico.

Teeth (ti:z). Dientes.

Telephone (télefóun). Teléfono.

Telephone operator (télefóun a:peréire:r). Telefonista.

Television (télevishen). Televisor.

Tell (tel). Decir.

Temperature (témpriche:r). Temperatura.

Temple (témpel). Sien.

Ten (ten). Diez.

Tennis (ténis). Tenis.

Tennis shoes (ténis shu:z). Zapatos tenis.

Tenth (tenz). Décimo.

Terrace (téres). Terraza.

Terrible (téribel). Terrible.

Terrified (térefaid). Aterrorizado.

Test drive (test dráiv). Vuelta de prueba.

That (dæt). Esa, ese, eso, aquella, aquel, aquello.

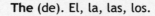

The (de). El, la, las, los.

Theater (zíe:re:r). Teatro.

Theft (zeft). Robo.

Their (der). Su (de ellos/as).

Theirs (derz). Suyo/a.

Them (dem). Les, las, los, a ellos/as.

Then (den). Entonces.

Then (den). Luego.

There (der). Allá, allí.

There are (der a:r). Hay (pl.).

There is (der iz). Hay (sing.)

These (di:z). Estas/os.

They (déi). Ellos/as.

Thicken (zíken). Espesar.

Thief (zi:f). Ladrón.

Thigh (zái). Muslo.

Thing (zing). Cosa.

Think (zink). Pensar.

Think over (zink óuve:r). Pensar cuidadosamente.

Third (zerd). Tercero.

Thirteen (ze:rtí:n). Trece.

Thirty (zé:ri). Treinta.

This (dis). Esta/este/esto.

Those (dóuz). Esas/os, aquellas/os.

Thousand (záunsend). Mil.

Threat (zret). Amenaza.

Three(zri:). Tres.

Theater

Thief

Think over

Thunderstorm

Tie

Tire

Thriller (zrile:r). Suspenso.

Throat (zróut). Garganta.

Through (zru:). A través.

Throw (zróu). Lanzar.

Throw away (zróu ewéi). Tirar a la basura.

Throw up (zróu áp). Vomitar.

Thunder (zánde:r). Truenos.

Thunderstorm (zánde:rsto:rm). Tormenta eléctrica.

Thursday (zérzdei). Jueves.

Thyme (táim). Tomillo.

Tidy (táidi). Ordenado.

Tidy (táidi). Ordenar un lugar.

Tie (tái). Corbata.

Time (táim). Hora.

Time (táim). Tiempo.

Times (táimz). Veces.

Tip (tip). Dejar propina.

Tip (tip). Propina.

Tip off (tip a:f). Informar en secreto.

Tire (táie:r). Goma.

Tired (taie:rd). Cansado.

Tiring (táiring). Cansador.

To (tu:). A.

To (tu:). Hacia.

To (tu:). Para.

Toast (tóust). Tostar.

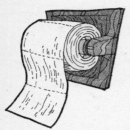

Toilet paper

Today (tudei). Hoy.

Toe (tóu). Dedo del pie.

Toilet (tóilet). Inodoro.

Toilet paper (tóilet péipe:r). Papel higiénico.

Toiletries (tóiletri:z). Artículos de tocador.

Toll (tóul). Peaje.

Toll-free number (tóul fri: námbe:r). Número gratuito.

Tomato (teméirou). Tomate.

Tomb (tu:m). Tumba.

Tomorrow (temórou). Mañana.

Tongue (ta:ng). Lengua.

Tonight (tenáit). Esta noche.

Too (tu:). También.

Tool (tu:l). Herramienta.

Tooth (tu:z). Diente.

Toiletries

Toothache (tú:zéik). Dolor de muelas.

Toothpaste (tu:zpéist). Pasta dental.

Tornado (te:rnéidou). Tornado.

Total (tóurel). Total.

Touchy (táchi). Susceptible.

Tour (tur). Recorrido.

Tour guide (tur gáid). Guía de turismo.

Tourism (túrizem). Turismo.

Toxic waste (tá:ksik wéist). Residuos tóxicos.

Traffic (træfik). Tránsito.

Tomato

Traffic light (træfik láit). Semáforo

Train

Traffic sign (træfik sáin). Señal de tránsito.

Train (tréin). Tren.

Transaction (trensækshen). Transacción.

Transfer (trænsfe:r). Transferir.

Translator (trensléire:r). Traductor.

Transportation (trænspo:rtéishen). Medios de transporte.

Travel (trævel). Viajar.

Travel agency (trævel éishensi). Agencia de turismo.

Travel agent (trævel éishent). Agente de turismo.

Tremble (trémbel). Temblar.

Trench coat (trench kóut). Gabardina.

Trendy (tréndi). A la moda.

Trespass (trespæs). Entrar ilegalmente.

Trespasser (trespæse:r). Intruso.

Trendy

Trial (tráiel). Juicio.

Trip (trip). Viaje.

Trout (tráut). Trucha.

Truck (trak). Camión.

Truck driver (trak dráive:r). Camionero.

True (tru:). Verdadero.

Trunk (tránk). Maletero.

Trunk (tránk). Tronco.

Trunks (tránks). Traje de baño de hombre.

Try (trái). Tratar.

Try out (trái áut). Probar.

Truck

Tsunami

Tub

Turkey

Tsunami (senæmi). Maremoto.

Tub (tab). Bañera.

Tube (tu:b). Tubo.

Tuesday (tu:zdei). Martes.

Tuna (tu:ne). Atún.

Turkey (té:rki). Pavo.

Turn (te:rn). Doblar.

Turn down (te:rn dáun). Rechazar.

Turn off (te:rn a:f). Apagar.

Turn off (te:rn a:f). Cerrar (una llave de paso).

Turn on (te:rn a:n). Abrir una llave de paso.

Turn on (te:rn a:n). Encender.

Turn out (te:rn áut). Resultar.

Turn up (te:rn ap). Llegar.

Turnpike (té:rnpaik). Autopista con peaje.

Tuxedo (taksí:dou). Traje de etiqueta.

Twelve (twélv). Doce.

Twenty (twéni). Veinte.

Twice (tuáis). Dos veces.

Two (tu:). Dos.

Typical (típikel). Típico.

U

Umbrella

University

Upset

Ulcer (álse:r). Úlcera.

Umbrella (ambréle). Paraguas.

Uncle (ánkel). Tío.

Under (ánde:r). Debajo.

Understand (anderstænd). Entender.

Unfriendly (anfréndli). Antipático.

Unhappy (anjæpi). Infeliz.

Union (yú:nien). Sindicato.

United (yu:náirid). Unido.

Universal (yu:nivé:rsel). Universal.

University (yu:nivé:rsiri). Universidad.

Unpleasant (anplésent). Antipático.

Unreliable (anriláiebel). Poco confiable.

Untidy (antáidi). Desordenado.

Up (ap). Arriba.

Upset (apsét). Disgustado.

Us (as). A nosotros.

Use (iu:s). Usar.

User Id (yu:ze:r ái di:). Nombre del usuario.

Usual (yú:shuel). Usual.

Usually (yu:shueli). Usualmente.

V

Vacuum cleaner

Vacation (veikéishen). Vacación.

Vacuum (vækyú:m). Pasar la aspiradora.

Vacuum cleaner (vækyu:m kli:ne:r). Aspiradora.

Vain (véin). Presumido.

Vandal (vændel). Vándalo.

Vandalism (vændelizem). Vandalismo.

Vandalize (vændelaiz.). Destrozar.

Vegetables (véshetebels). Verduras.

Verdict (vé:rdikt). Veredicto.

Very (véri). Muy.

Vest (vest). Chaleco.

Vegetables

Vet (vet). Veterinario.

Veterinarian (vete:riné:rian). Veterinario.

Video game (vídi:o géim). Juego de video.

View (viú). Vista.

Village (vílish). Villa.

Vinegar (vínige:r). Vinagre.

Violate (váieléit). Violar una ley.

Violator (váieléire:r). Violador.

Virus (váires). Virus.

Visit (vízit). Visitar.

Voice (vóis). Voz.

Volleyball

Volleyball (vá:liba:l). Voleibol.

W

Walk

Wash

Watermelon

Waist (wéist). Cintura.

Wait (wéit). Esperar.

Waiter (wéire:r). Mesero.

Waitress (wéitres). Mesera.

Walk (wa:k). Caminar.

Walk away (wa:k ewéi). Marcharse.

Wall (wa:l). Pared.

Walnut (wa:lnut). Nuez.

Want (wa:nt). Querer.

Warm (wa:rm). Cálido.

Warm (wa:rm). Calentar.

Warm up (wa:rm ap). Calentar algo.

Warm up (wa:rm ap). Entrar en calor.

Warm up to (wa:rm ap tu:). Comenzar a agradar una persona o una idea.

Was (wos). Era, fue.

Wash (wa:sh). Lavar.

Wash down (wa:sh dáun). Beber un líquido para bajar la comida.

Washing machine (wa:shing meshín). Lavarropas, lavadora.

Waste (wéist). Malgastar.

Watch (wa:ch). Mirar.

Water (wá:re:r). Agua.

Water ski (wá:re:r ski:). Esquí acuático.

Weather

Watermelon (wá:re:r mélen). Sandía.

Waterproof (wá:re:rpru:f). Impermeable.

Wavy (wéivi). Ondulado.

Way (wéi). Camino.

Way (wéi). Manera.

We (wi:). Nosotros.

Weapon (wépen). Arma.

Wear (wer). Usar ropa.

Weather (wéde:r). Tiempo.

Weather forecast (wéde:r fó:rkæst). Pronóstico del tiempo.

Wednesday (wénzdei). Miércoles.

Week (wi:k). Semana.

Weekend (wí:kend). Fin de semana.

Weigh (wéi). Pesar.

Weight (wéit). Peso.

Weigh

Weight lifting (wéit lífting). Levantar pesas.

Welcome (wélcam). Bienvenido.

Well (wel). Bien.

Well done (wel dan). Bien hecho.

Wet (wet). Húmedo.

What (wa:t). ¿Qué?

What kind of...? (wa:t káindev). ¿Qué clase de... ?

Wheel (wi:l). Rueda.

Wheelchair (wí:lche:r). Silla de ruedas.

Wheelchair

When (wen). ¿Cuándo?

Where (wer). ¿Dónde?

Whip

Wine

Winter

Which (wích). ¿Cuál?

While (wáil). Mientras.

Whip (wip). Batir.

White (wáit). Blanco.

White bread (wáit bred). Pan blanco.

White wine (wáit wáin). Vino blanco.

Who (ju:). ¿Quién?

Whole (jóul). Entero.

Whole milk (jóul milk). Leche entera.

Whole wheat (jóul bred). Pan integral.

Whose (ju:z). ¿De quién?

Why (wái). ¿Por qué?

Widow (wídou). Viuda.

Widower (widoue:r). Viudo.

Wife (wáif). Esposa.

Will (wil). Auxiliar para el futuro.

Wind (wind). Viento.

Window (wíndou). Ventana.

Windshield (wíndshi:ld). Parabrisas.

Windy (wíndi). Ventoso.

Wine (wáin). Vino.

Wink (wink). Guiñar un ojo.

Winter (wíne:r). Invierno.

Wire (wáir). Girar dinero.

Wire (wáir). Alambre.

With (wid). Con.

Withdraw (widdra:). Retirar dinero.

Wood

Work out

Write

Without (widáut). Sin.

Witness (wítnes). Testigo.

Woman (wumen). Mujer.

Womb (wu:m). Útero.

Wood (wud). Madera.

Word (word). Palabra.

Work (we:rk). Trabajar.

Work (we:rk). Trabajo.

Work out (we:rk áut). Calcular (una cantidad).

Work out (we:rk áut). Desarrollar.

Work out (we:rk áut). Funcionar (una situación).

Work out (we:rk áut). Hacer ejercicio físico.

Work permit (we:rk pé:rmit). Permiso de trabajo.

World (we:rld). Mundo.

Worried (wé:rid). Preocupado.

Worry (wé:ri). Preocuparse.

Worse (we:rs). Peor.

Would (wud). Auxiliar para ofrecer o invitar.

Wound (wu:nd). Herida (de arma).

Wrestling (résling). Lucha libre.

Wrist (rist). Muñeca.

Write (ráit). Escribir.

Wrong (ra:ng). Equivocado.

Wrong (ra:ng). Incorrecto.

Y

Yoga

Young

Yard (ya:rd). Yarda.

Yawn (ya:n). Bostezar.

Year (yir). Año.

Yellow (yélou). Amarillo.

Yes (yes). Sí.

Yesterday (yésterdei). Ayer.

Yet (yet). Aún.

Yet (yet). Todavía.

Yield (yild). Ceder el paso.

Yoga (yóuge). Yoga.

Yoghurt (yóuge:rt). Yogur.

You (yu:). Te, a ti, a usted, a ustedes.

You (yu:). Tú, usted, ustedes.

Young (ya:ng). Joven.

Your (yo:r). Tu, su, de usted, de ustedes.

Yours (yo:rz). Tuyo/a, suyo/a.

Z

Zip

Zero (zí:rou). Cero.

Zip (zip). Cremallera.

Zoo (zu:). Zoológico.

DICCIONARIO ILUSTRADO
ESPAÑOL / INGLÉS

A

A la moda

A la moda. Fashionable (fæshenebel).

A la moda. Trendy (tréndi).

A menudo. Often (á:ften).

¿A qué distancia? How far (jáu fa:r).

A través, en frente de. Across (ekrá:s).

A través. Through (zru:).

A veces. Sometimes (sámtaimz).

A, en. At (æt).

A. M. (antes del mediodía). A.M. (éi em).

Abajo. Down (dáun).

Abandonar los estudios. Drop out (dra:p áut).

Abeja

Abeja. Bee (bi:).

Abogado. Attorney (eté:rnei).

Abogado. Lawyer (la:ye:r).

Abrigo. Coat (kóut).

Abril. April (éipril).

Abrir una llave de paso. Turn on (te:rn a:n).

Abrir. Open (óupen).

Absolución. Acquittal (ekwí:tel).

Absolutamente. Absolutely (æbselú:tli).

Abuela. Grandmother (grændmá:de:r).

Abuelo. Grandfather (grændfá:de:r).

Abuelos

Abuelos. Grandparents (grændpérents).

Aburrido. Boring (bo:ring).

Aceite

Acompañar

Aeropuerto

Acabarse. Run out of (ran áut ev).

Aceite. Oil (óil).

Acelerador. Accelerator (akséle:reire:r).

Acelerar. Speed up (spi:d ap).

Aceptar. Accept (eksépt).

Aceptar. Give up (giv ap).

Acerca de. About (ebáut).

Aclarar dudas. Clear up (klíe:r ap).

Aclarar. Clear (klíe:r).

Acompañar a alguien hasta la puerta. See out (si: áut).

Acompañar. Come along (kam elá:ng).

Acortar. Shorten (sho:rten).

Acostarse. Lie down (lái dáun).

Actor. Actor (ækte:r).

Actuar. Act (ækt).

Acuerdo. Agreement (egrí:ment).

Acusación. Charge (cha:rsh).

Acusado. Defendant (diféndent).

Aderezo. Dressing (drésing).

Adiós. Bye (bái).

Adivinanza. Brainteaser (bréinti:ze:r).

Adivinanza. Riddle (rídel).

Adivinar. Guess (ges).

Admirar. Look up to (luk ap tu:).

Adquirir. Purchase (paercheis).

Aduana. Customs (kástems).

Aeropuerto. Airport (érport).

Afuera

Agua

Ajo

Afectuoso. Affectionate (efékshenet).

Afortunado. Lucky (láki).

Afuera. Out (áut).

Afuera. Outside (autsáid).

Agencia de turismo. Travel agency (trævel éishensi).

Agencia. Agency (éishensi).

Agente de turismo. Travel agent (trævel éishent).

Agosto. August (o:gast).

Agradable. Nice (náis).

Agregar. Add (æd).

Agresivo. Aggressive (egrésiv).

Agua mineral. Bottled water (ba:rl wá:re:r).

Agua. Water (wá:re:r).

Águila. Eagle (i:gel).

Agujero. Hole (jóul).

Ahora mismo. Right now (ráit náu).

Ahorrar. Save (séiv).

Aire. Air (er).

Ajedrez. Chess (chess).

Ají picante. Chili (chili).

Ajo. Garlic (ga:rlik).

Ajustarse. Fasten (fæsen).

Ajuste. Adjustment (edshástment).

Al lado de. Next to (neks te).

Aladeltismo. Hang gliding (jængláiding).

Alambre. Wire(wáir).

Alfabeto

Aliento

Alpinismo

Albahaca. Basil (béisil).

Albañil. Bricklayer (brikléie:r).

Alcalde. Mayor (méie:r).

Alcohol. Alcohol (ælkeja:l).

Alegre. Cheerful (chirfel).

Alegre. Light-hearted (láit ja:rid).

Alergia. Allergy (æle:rshi).

Alfabeto. Alphabet (ælfebet).

Alfombra pequeña. Rug (rág).

Alfombra. Carpet (ká:rpet).

Algo. Something (sámzing).

Alguien. Anybody (éniba:di).

Alguien. Somebody (sámba:di).

Alguien. Someone (sámuen).

Alguna vez. Ever (éve:r).

Algunos. Some (saem).

Aliento. Breath (brez).

Alimentar. Feed (fi:d).

Aliviado. Relieved (rili:vd).

Allá, allí. There (der).

Almendra. Almond (á:lmend).

Almohada. Pillow (pílou).

Almohadón. Cushion (kúshen).

Alpinismo. Mountaineering (maunteníring).

Alquilar. Hire (jáir).

Alrededor. Around (eráund).

Alto. High (jái).

Amar

Amigo

Animal

Alto. Tall (ta:l).

Ama de llaves. Housekeeper (jáuz ki:pe:r).

Amable. Kind (káind).

Amante. Lover (lave:r).

Amar. Love (lav).

Amarillo. Yellow (yélou).

Ambicioso. Ambitious (æmbíshes).

Ambos. Both (bóuz).

Amenaza. Threat (zret).

Amiga. Girlfriend (gé:rlfrend).

Amigarse con alguien. Make up with (meik ap wid).

Amigo. Buddy (bári).

Amigo. Friend (frend).

Amistad. Friendship (fréndship).

Amor. Love (lav).

Anaranjado. Orange (á:rinsh).

Anchoa. Anchovy (ænchevi).

Andamio. Scaffold (skæfeld).

Andar en bicicleta o a caballo. Ride (ráid).

Anfitrión. Host (jóust).

Anguila. Eel (i:l).

Anillo. Ring (ring).

Animal. Animal (ænimel).

Ansioso. Anxious (ænkshes).

Antebrazo. Forearm (fo:ra:rm).

Antecedentes. Background (bækgraund).

Anteojos

Año Nuevo

Aprender

Antena satelital. Satellite dish (sǽtelait dish).

Anteojos de sol. Sunglasses (sánglǽsiz).

Anteojos. Glasses (glǽsiz).

Antes. Before (bifo:r).

Antibiótico. Antibiotic (ǽntibaiá:rik).

Anticipo. Down payment (dáun péiment).

Antipático. Unfriendly (anfréndli).

Antipático. Unpleasant (anplésent).

Año Nuevo. New Year (nu: yir).

Año. Year (yir).

Apagar algo encendido. Put out (put áut).

Apagar. Turn off (te:rn a:f).

Aparcar. Park (pa:rk).

Apartamento. Apartment (apa:rtment).

Apelación. Appeal (epí:l).

Apellido. Last name (lǽst néim).

Apio. Celery (séleri).

Aplaudir. Clap (klǽp).

Apoyar a alguien. Stand by (stǽnd).

Apoyar en el piso. Put down (put dáun).

Apoyar. Back up (bǽk ap).

Apoyo. Support (sepo:rt).

Aprender. Learn (le:rn).

Aprobación. Approval (eprú:vel).

Aprobar. Pass (pǽs).

Aquí mismo. Right here (ráit jir).

Aquí, acá. Here (jir).

Arquitecto

Artefacto para el hogar

Artículos de tocador

Arenque. Herring (jéring).

Arma. Gun (gan).

Arma. Weapon (wépen).

Armonía. Harmony (já:rmeni).

Arquitecto. Architect (á:rkitekt).

Arreglar un lugar. Spruce up. (spru:s ap).

Arreglarse una persona. Spruce up (spru:s ap).

Arreglárselas. Get by (get bái).

Arriba de. Above (ebáv).

Arriba. Up (ap).

Arrogante. Arrogant (æregent).

Arroz. Rice (ráis).

Arruinar. Screw up (skru: ap).

Artefacto para el hogar. Home appliances (jóum epláiens).

Artes marciales. Martial arts (má:rshel a:rts).

Artesanía. Craft (kræft).

Artículos de tocador. Toiletries (tóiletri:z).

Artista. Artist (á:rist).

Arveja. Pea (pi:).

Asaltante. Mugger (máge:r).

Asaltar. Mug (mag).

Ascensor. Elevator (éleveire:r).

Asesinar. Murder (mé:rde:r).

Asesinato. Murder (mé:rde:r).

Asesino. Killer (kile:r).

Asesino. Murderer (mé:rdere:r).

Aspiradora

Asesor. Consultant (kensáltent).

Asesor. Counselor (káunsele:r).

Así, de esta manera. So (sóu).

Asiento. Seat (si:t).

Asistente personal. Personal assistant (pé:rsenel asístent).

Asistente. Assistant (esístent).

Aspiradora. Vacuum cleaner (vækyu:m kli:ne:r).

Aspirina. Aspirin (æspirin).

Asunto. Subject (sábshekt).

Asustado. Frightened (fráitend).

Ataque. Assault (aso:lt).

Ataque. Attack (etæk).

Atención. Attention (eténshen).

Aterrorizado. Terrified (térefaid).

Atornillar. Screw (skru:).

Atrapar

Atracción. Attraction (ete:rni).

Atrapar. Catch (kæch).

Atrás, espalda. Back (bæk).

Atrás. Ago (egóu).

Atrasarse. Fall behind (fa:l bijáind).

Atravesar una situación difícil con éxito. Come through (kam zru:).

Atropellar. Run over (ran óuve:r).

Atún

Atún. Tuna (tu:ne).

Audición. Hearing (jiring).

Audiencia. Hearing (jiring).

Aumentar. Build up (bild ap).

Autobús

Autoridad

Avión

Aumentar. Go up (góu ap).

Aumentar. Increase (inkrí:s).

Aumentar. Put on (put a:n).

Aumento. Increase (ínkri:s).

Aún. Still (stil).

Aún. Yet (yet).

Autobús. Bus (bas).

Automóvil. Car (ka:r).

Automovilismo. Car racing (ka:r réising).

Autopista. Freeway (frí:wei).

Autopista. Highway (jáiwei).

Autopista con peaje. Turnpike (té:rnpaik).

Autoridad. Authority (ezo:riti).

Autoritario. Bossy (ba:si).

Auxiliar del presente simple. Do (du:).

Auxiliar del presente simple. Does (dáz).

Auxiliar para el futuro. Will (wil).

Auxiliar para el pasado simple. Did (did).

Auxiliar para ofrecer o invitar. Would (wud).

Avellana. Hazelnut (jéizelnat).

Avenida. Avenue (ævenu:).

Aventura. Adventure (edvénche:r).

Avergonzado. Ashamed (eshéimd).

Avión. Plane (pléin).

Aviso clasificado. Classified ad (klæsifaid æd).

Aviso publicitario. Advertisement (ædve:rtáizment).

Aviso publicitario. Commercial (kemé:rshel).

Avisos publicitarios. Ads (æds).

Ayer. Yesterday (yésterdei).

Ayuda. Help (jelp).

Ayudar. Help (jelp).

Ayudar. Help out (jélp áut).

Azafata. Flight attendant (fláit aténdent).

Azafrán. Saffron (sæfren).

Azúcar. Sugar (shúge:r).

Azul marino. Navy blue (néivi blu:).

Azul. Blue(blu:).

Ayudar

B

Bailar

Bacalao. Cod (ka:d).

Bahía. Bay (béi).

Bailar. Dance (dæns).

Baile. Dancing (dænsing).

Bajar archivos. Download (dáunloud).

Bajar de un transporte público. Get off (get a:f).

Bajar. Put down (put dáun).

Bajo contenido graso. Low-fat (lóu fæt).

Bajo. Low (lóu).

Bajo. Short (sho:rt).

Balanza. Scale (skéil).

Balcón terraza. Deck (dek).

Balcón. Balcony (bælkeni).

Balanza

Bañarse

Barco

Batir

Bancarrota. Bankrupt (bænkrept).

Banco. Bank (bænk).

Banda ancha de Internet. Broadband (bro:dbænd).

Banda autoadhesiva protectora. Band aid (bænd éid).

Banqueta. Stool (stu:l).

Bañarse. Bathe (béid).

Bañera. Bathtub (bæztab).

Bañera. Tub (tab).

Barato. Inexpensive (inekspénsiv).

Barato. Cheap (chi:p).

Barba. Beard (bird).

Barbacoa. Barbecue (ba:rbikyu:).

Barco. Ship (ship).

Barrer. Sweep (swi:p).

Barril. Barrel (bærel).

Base de datos. Database (déirebéis).

Basquetbol. Basketball (bæsketbol).

Bastante. Quite (kuáit).

Batata. Sweet potato (swi:t petéirou).

Batería. Battery (bæreri).

Batir. Beat (bi:t).

Batir. Whip (wip).

Beber un líquido para bajar la comida. Wash down (wa:sh dáun).

Beber. Drink (drink).

Bebida sin alcohol. Soft drink (sa:ft drink).

Béisbol

Billete

Bota

Bebida. Beverage (bévrish).

Bebida. Drink (drink).

Béisbol. Baseball (béisba:l).

Besar. Kiss (kis).

Bicicleta. Bicycle (báisikel).

Bien cocida. Well done (wel dan).

Bien. Fine (fáin).

Bien. Well (wel).

Bienvenido. Welcome (wélcam).

Bigote. Moustache (mástæsh).

Billar Americano. Pool (pu:l).

Billete. Bill (bil).

Billón (mil millones). Billion (bílien).

Biografías. Biography (baia:grefi).

Blanco. White (wáit).

Blusa. Blouse (bláus).

Boca. Mouth (máuz).

Bolígrafo. Pen (pen).

Bolos. Bowling (bóuling).

Bolso, bolsa. Bag (bæg).

Bombero. Fireman (fáirmen).

Bombero. Fireperson (fáirpe:rsen).

Bonito. Pretty (príri).

Bordado. Embroidery (imbróideri).

Borde. Edge (**esh**).

Bostezar. Yawn (ya:n).

Bota. Boot (bu:t).

Boxeo

Bote. Boat (bóut).

Botella. Bottle (ba:rl).

Botón. Button (bárn).

Boxeo. Boxing (ba:ksing).

Brazo. Arm (a:rm).

Brillar. Shine (sháin).

Brisa. Breeze (bri:z).

Bronce. Brass (bræs).

Buceo. Diving (dáiving).

Bueno. Good (gud).

Búfalo. Buffalo (báfelou).

Bufanda

Bufanda . Scarf (ska:rf).

Bufet. Buffet (beféi).

Buscar en un diccionario. Look up (luk ap).

Buscar. Look for (luk fo:r).

Buscar. Look for (luk fo:r).

Buscar. Search (se:rch).

C

Cabra

Caballo. Horse (jo:rs).

Cabeza. Head (jed).

Cable. Cable (kéibel).

Cabra. Goat (góut).

Cadera. Hip (jip).

Caer. Fall (fa:l).

Caerse de un lugar. Fall out (fa:l áut).

Café descafeinado. Decaffeinated coffee (dikæfineirid ká:fi).

Café. Coffee (ka:fi).

Cafetería. Coffee store (ká:fi sto:r).

Caída. Fall (fa:l).

Caja de cambios. Gear box (gir bá:ks).

Caja de seguridad. Safe (séif).

Caja. Box (ba:ks).

Cajero automático. A.T.M (ei ti: em).

Cajero. Cashier (kæshír).

Cajón. Crate (kréit).

Calabaza. Pumpkin (pá:mpkin).

Calamar. Squid (skwíd).

Calcetines. Socks (sa:ks).

Calcular (una cantidad). Work out (we:rk áut).

Calentar algo. Warm up (wa:rm ap).

Calentar un alimento o una bebida. Heat up (ji:t ap).

Calentar. Heat (ji:t).

Calentar. Warm (wa:rm).

Cálido. Warm (wa:rm).

Caliente. Hot (ja:t).

Callarse. Shut up (shat ap).

Calle. Street (stri:t).

Calmar. Calm (ka:lm).

Calmar. Calm down (ka:lm dáun).

Calmarse. Settle down (sérl dáun).

Café

Calabaza

Caliente

Cama

Camión

Canotaje

Calor. Heat (ji:t).

Caluroso. Hot (ja:t).

Calvo. Bald (ba:ld).

Cama. Bed (bed).

Camarón. Shrimp (shrimp).

Cambiar. Change (chéinsh).

Cambio de dinero. Exchange (ikschéinsh).

Cambio. Change (chéinsh).

Caminar. Walk (wa:k).

Camino. Road (róud).

Camino. Way (wéi).

Camión. Truck (trak).

Camionero. Truck driver (trak dráive:r).

Camisa. Shirt (shé:rt).

Camiseta. T-shirt (ti: shé:rt).

Campaña. Campaign (kempéin).

Campo. Field (fi:ld).

Canasta. Basket (bæsket).

Cancelar. Call off (ka:l a:f).

Canción. Song (sa:ng).

Candidato. Candidate (kændideit).

Canela. Cinnamon (sínemen).

Cangrejo. Crab (kræb).

Canotaje. Canoeing (kenú:ing).

Cansado. Tired (taie:rd).

Cansador. Tiring (táiring).

Cantante. Singer (sínge:r).

Cantar. Sing (sing).

Cantidad. Amount (emáunt).

Capataz. Foreman (fó:rmen).

Capaz. Able (éibel).

Capot. Hood (ju:d).

Cara. Face (féis).

Caracol

Caracol. Snail (snéil).

Carbón. Coal (kóul).

Carne vacuna. Beef (bi:f).

Carne. Meat (mi:t).

Carnicero. Butcher (bútche:r).

Caro. Expensive (ikspénsiv).

Carpintero. Carpenter (ka:rpente:r).

Carrera de caballos. Horse racing (jo:rs réising).

Carpintero

Carril de una autopista. Lane (léin).

Carta. Letter (lére:r).

Cartelera. Board (bo:rd).

Cartero. Mailman (méilmen).

Cartero. Postman (póustmen).

Casa. House (jáuz).

Casado. Married (mérid).

Casarse. Get married (get mérid).

Casarse

Casero. Homemade (jóumméid).

Caso. Case (kéis).

Castaña. Chestnut (chéstnat).

Castaño claro. Light brown (láit bráun).

Castaño. Brown (bráun).

Catorce. Fourteen (fo:rtí:n).

Causa. Cause (ka:z).

Caza. Hunting (jánting).

Cazador de huracanes. Hurricane hunter (hárikéin hánte:r).

Cebolla. Onion (á:nyon).

Cebolla

Ceder el paso. Yield (yild).

Ceja. Eyebrow (áibrau).

Celeste. Light blue (láit blu:).

Celoso. Jealous (shéles)

Cementerio. Cemetery (sémeteri).

Centímetro. Centimeter (séntimirer).

Centrado. Down-to-earth (dáun te érz).

Centro comercial. Shopping center (sha:ping séne:r).

Centro de la ciudad. Downtown (dáuntaun).

Cerámica. Pottery (pá:reri).

Cerámica

Cerca. Near (nir).

Cerdo. Pork (po:rk).

Cerdo. Pig (pig).

Cereza. Cherry (chéri).

Cero. Zero (zí:rou).

Cerrar (una llave de paso). Turn off (te:rn a:f).

Cerrar. Shut (shat).

Certificado. Certificate (se:rtífiket).

Cerveza

Cerveza. Beer (bir).

Césped. Grass (græs).

Chaqueta

Chef

Cierre

Césped. Lawn (laːn).

Chaleco. Vest (vest).

Chantajear. Blackmail (blælmeil).

Chantajista. Blackmailer (blækmeileːr).

Chaqueta. Jacket (shækit).

Chasquear los dedos. Snap (snæp).

Chauchas. String beans (string biːns).

Chef. Chef (shef).

Cheque. Check (chek).

Chequear. Check (chek).

Chequera. Checkbook (chékbuk).

Chicos/chicas, gente. Guy (gái).

Chiste, broma. Joke (shóuk).

Chupar. Suck (sak).

Ciberespacio. Cyberspace (sáibeːrspeis).

Ciego. Blind (bláind).

Cielo. Sky (skái).

Cien. Hundred (jáːndred).

Ciencia ficción. Science fiction (sáiens fíkshen).

Ciencia. Science (sáiens).

Cinco centavos de dólar. Nickel (níkel).

Cinco. Five (fáiv).

Cincuenta. Fifty (fífti).

Cintura. Waist (wéist).

Cinturón. Belt (belt).

Ciruela. Plum (plam).

Cita a ciegas. Blind date (bláind déit).

Ciudad

Clima

Coco

Cita. Date (déit).

Ciudad natal. Hometown (jóumtaun).

Ciudad. City (síri).

Ciudadanía. Citizenship (sírisenship).

Ciudadano. Citizen (sírisen).

Clavo. Nail (néil).

Cliente. Customer (kásteme:r).

Clima. Climate (kláimit).

Coartada. Alibi (ælibai).

Cobrar. Collect (kelékt).

Cobre. Copper (ká:pe:r).

Cocción jugosa. Rare (rer).

Cocina. Cooker (kúke:r).

Cocina. Kitchen (kíchen).

Cocina. Stove (stóuv).

Cocinar a baño María. Poach (póuch).

Cocinar al horno. Roast (róust).

Cocinar con líquido. Braise (bréiz).

Cocinar con líquido. Simmer (síme:r).

Cocinar. Cook (kuk).

Cocinero. Cook (kuk).

Coco. Coconut (kóukenat).

Cocodrilo. Crocodile (krákedail).

Código de área. Area Code (érie kóud).

Código de país. Country code (kántri kóud).

Codo. Elbow (élbou).

Cola (de un animal). Tail (téil).

Colgar

Comedor

Comida para llevar

Colgar el teléfono. Hang up (jæng ap).

Colgar. Hang (jæng).

Colocar. Lay (léi).

Color. Color (kále:r).

Combinar. Go with (góu wid).

Combinar. Match (mæch).

Comedia. Sitcom (sítkam).

Comedor. Dining room (dáining ru:m).

Comenzar a agradar una persona o una idea. Warm up to (wa:rm ap tu:).

Comenzar a hacer algo seriamente. Get down to (get dáun tu:).

Comenzar sesión en un sitio de Internet. Log in (la:g in).

Comenzar sesión en un sitio de Internet. Log on (la:g a:n).

Comenzar un hobby. Take up (téik ap).

Comenzar. Begin (bigín).

Comenzar. Kick off (kik a:f).

Comenzar. Set in (set in).

Comenzar. Start (sta:rt).

Comer en un restaurante. Eat out (i:t áut).

Comer muy poco. Pick at (pik æt).

Comer todo. Eat up (i:t ap).

Comer. Eat (i:t).

Comida para llevar. Take-out food (téik áut fu:d).

Comida. Food (fud).

Comida. Meal (mi:l).

Cómodo

Competencia

Compras

Como. As (ez).

Como. Like (láik).

¿Cómo? How (jáu).

Cómoda. Chest (chest).

Cómoda. Dresser (drése:r).

Comodidad. Comfort (kámfe:rt).

Cómodo. Comfortable (kámfe:rtebel).

Compañero de cuarto. Roommate (rú:mmeit).

Compañía. Company (kámpeni).

Comparación. Comparison (kempérisen).

Compensar. Make up for (méik ap fo:r).

Competencia. Competition (ká:mpetíshen).

Competición. Competition (ká:mpetishen).

Competitivo. Competitive (kempéririv).

Completar espacios en blanco. Fill in (fil in).

Completar por escrito. Fill out (fil áut).

Completar. Complete (kemplí:t).

Completar. Fill in (fil in).

Comportamiento. Behavior (bijéivye:r).

Comprador. Purchaser (pe:rché:ser).

Comprar. Buy (bái).

Comprar. Get (get).

Comprar algo hasta que se agote. Snap up (snæp ap).

Compras. Shopping (shá:ping).

Comprender. Figure out (fíge:r áut).

Comprensivo. Empathetic (empazérik).

Computadora

Comprensivo. Sympathetic (simpezérik).

Computación. Computing (kempyu:ring).

Computadora. Computer (kempyú:re:r).

Con. With (wid).

Conceder. Give in (giv in).

Concentrarse. Focus on (fóukes a:n).

Concierto. Concert (ká:nse:rt).

Concurrir. Attend (eténd).

Condición. Condition (kendíshen).

Conducir. Drive (dráiv).

Conductor de taxi. Taxi driver (tæksi dráive:r).

Conductor. Driver (dráive:r).

Conejo. Rabbit (ræbit).

Conexión. Connection (kenékshen).

Conducir

Confiable. Reliable (riláiebel).

Confundido. Confused (kenfyú:zd).

Confundir. Mix up (miks ap).

Congelado. Frozen (fróuzen).

Congelar. Freeze (fri:z).

Congreso. Congress (ká:ngres).

Conmocionado. Shocked (sha:kt).

Conocer a alguien. Know (nóu).

Conocer a alguien. Meet (mi:t).

Conocido. Acquaintance (ekwéintens).

Conocimientos. Knowledge (ná:lish).

Conejo

Conseguir. Get (get).

Consejo. Advice (edváis).

Construir

Contaminación

Conversación

Considerado. Considerate (kensídret).

Constitución. Constitution (ka:nstitu:shen).

Constructor. Builder (bílde:r).

Construir. Put up (put ap).

Contador. Accountant (ekáuntent).

Contaminación. Contamination (kenteminéishen).

Contar con. Count on (káunt a:n).

Contar. Count (káunt).

Contar. Spit out (spit áut).

Contener. Contain (kentéin).

Contento. Glad (glæd).

Contestar. Answer (ænser).

Continuar con algo hasta el final. See through (si: zru:).

Continuar. Go on (góu a:n).

Contraseña. Password (pæswe:rd).

Contratar. Hire (jáir).

Contratista. Contractor (kentræ:kte:r).

Control remoto. Remote control (rimóut kentróul).

Control. Control (kentróul).

Controlador obsesivo. Control-freak (kentróul fri:k)

Controlar. Keep track of (ki:p træk ev).

Convencer a alguien de que haga algo. Talk into (ta:k intu:).

Convencer a alguien de que no haga algo. Talk out of (ta:k áut ev).

Conversación. Conversation (ka:nverséishen).

Conversación. Discussion (diskáshen).

Conversar. Talk (ta:k).

Coñac

Correo

Cortina

Convicto. Convict (ká:nvikt).

Convocar (para el ejército o un equipo deportivo). Call up (ka:l ap).

Coñac. Brandy (brændi).

Copia. Copy (ká:pi).

Copiar. Copy (ká:pi).

Corbata. Tie (tái).

Corcho. Cork (ka:rk).

Cordero. Lamb (læm).

Cordial. Friendly (fréndli).

Correcto. Right (ráit).

Correo basura. Spam (spæm).

Correo electrónico. E-mail (ímeil).

Correo. Mail (méil).

Correr. Run (ran).

Corriente. Current (ké:rent).

Cortar en cubos. Dice (dáis).

Cortar un servicio. Cut off (kat a:f).

Cortar. Cut (kat).

Corte. Court (ko:rt).

Cortés. Polite (peláit).

Cortina. Curtain (ké:rten).

Corto de vista. Short-sighted (sho:rt sáirid).

Corto. Short (sho:rt).

Cosa. Thing (zing).

Cosas por el estilo. Stuff (staf).

Coser. Sew (sóu).

Crecer

Crema

Criar

Costar. Cost (ka:st).

Costillitas. Rib (rib).

Cráneo. Skull (skal).

Creativo. Creative (kriéiriv).

Crecer. Grow (gróu).

Crecimiento. Growth (gróuz).

Crédito. Credit (krédit).

Crédulo. Gullible (gálibel).

Creencia. Belief (bili:f).

Crema. Cream (kri:m).

Cremallera. Zip (zip).

Criar. Bring up (bring ap).

Criarse. Grow up (gróu ap).

Cruce de calles. Intersection (íne:rsékshen).

Cruce peatonal. Crosswalk (krá:swa:k).

Crucigrama. Crossword puzzle (krá:swe:rd pázel).

Cruel. Cruel (krúel).

Cruel. Ruthless (ru:zles).

Cuadra. Block (bla:k).

Cuadrado. Square (skwér).

Cuadro. Picture (píkche:r).

¿Cuál? Which (wích).

¿Cuándo? When (wen).

¿Cuántas veces? How often? (jáu a:ften).

¿Cuánto tiempo? How long (jáu la:ng).

¿Cuánto? How much (jáu mach).

¿Cuántos años? How old? (jáu óuld).

Cuchillo

¿Cuántos? How many (jáu méni).

Cuarenta. Forty (fó:ri).

Cuarto de baño. Bathroom (bæzrum).

Cuarto. Fourth (fo:rz).

Cuatro. Four (fo:r).

Cubrir. Cover (ká:ve:r).

Cucaracha. Cockroach (ká:krouch).

Cuchillo. Knife (náif).

Cuello (de una prenda). Collar (kále:r).

Cuello. Neck (nek).

Cuenta corriente. Checking account (cheking ekáunt).

Cuenta de ahorros. Savings account (séivingz ekáunt).

Cuenta en un restaurante. Check (chek).

Cuenta. Account (ekáunt).

Cuidar

Cuero. Leather (léde:r).

Cuerpo. Body (ba:dy).

Cuidado de la piel. Skin care (skín ker).

Cuidado. Care (ker).

Cuidar. Care for (ker fo:r).

Cuidar. Look after (luk æfte:r).

Culpable. Guilty (gílti).

Cultura. Culture (ké:lche:r).

Cumpleaños. Birthday (bérzdei).

Cumpleaños

Cuota. Installment (instá:lment).

Currículum vitae. Résumé (résyu:mei).

D

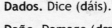

Dados. Dice (dáis).

Daño. Damage (dæmish).

Dar importancia. Play up (pléi ap).

Dar la mano. Shake hands (shéik jændz).

Dar. Give (giv).

Dardos. Darts (da:rts).

Dados

Darse por vencido. Give up (giv ap).

De acuerdo. O.K. (óu kéi).

De ella. Hers (je:rz).

De hecho. In fact (in f ækt).

¿De quién? Whose? (ju:z).

De, desde. From (fra:m).

De. Of (ev).

Debajo de. Below (bilóu).

Debajo. Under (ánde:r).

Deber (para dar consejos). Should (shud).

Dardos

Deber, estar obligado a. Must (mast).

Decidido. Determined (dité:rmind).

Décimo. Tenth (tenz).

Decir. Say (séi).

Decir. Tell (tel).

Decisión. Decision (disíshen).

Declaración jurada. Affidavit (æfedéivit).

Decidido

Declarar. Declare (diklé:r).

Dedo de la mano

Decorar. Garnish (ga:rnish).

Dedo de la mano. Finger (fínge:r).

Dedo del pie. Toe (tóu).

Defensa. Defence (diféns).

Dejar a alguien en un lugar. Drop off (dra:p a:f).

Dejar de hacer. Give up (giv ap).

Dejar propina. Tip (tip).

Dejar. Leave (li:v).

Deletrear. Spell (spel).

Delfín. Dolphin (dá:lfin).

Delgado. Slim (slim).

Delicioso. Delicious (dilíshes).

Delincuentes. Criminals (kríminel).

Delito grave. Felony (féleni).

Delito. Crime (kráim).

Delfín

Demandante. Plaintiff (pléintif).

Democracia. Democracy (dimá:kresi).

Democrático. Democratic (demekrærik).

Denegar. Deny (dinái).

Dentista. Dentist (déntist).

Dentro. Into (íntu:).

Depender. Depend (dipénd).

Deporte. Sport (spo:rt).

Depósito. Deposit (dipá:zit).

Depresión. Depression (dipréshen).

Deprimido. Depressed (diprést).

Derecha. Right (ráit).

Deporte

Descansar

Destino

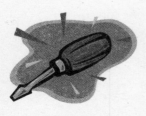

Destornillador

Derecho. Law (la:).

Derecho. Straight (stréit).

Derecho. Straight-forward (stréit fó:rwe:rd).

Derretir. Melt (mélt).

Derribar. Knock down (na:k dáun).

Desalentado. Gloomy (glu:mi).

Desarrollar. Work out (we:rk áut).

Desarrollo. Development (divélopment).

Descansar. Relax (rilæks).

Descanso. Break (bréik).

Desconocido. Stranger (stréinshe:r).

Descubrimiento. Discovery (diská:veri).

Desde. Since (sins).

Desear. Desire (dizáir).

Desilusionado. Disappointed (disepóinted).

Desilusionar. Let down (let dáun).

Desmayarse. Pass out (pæs áut).

Desorden. Mess (mes).

Desordenado. Untidy (antáidi).

Desordenar. Mix up (miks ap).

Despedir del trabajo. Lay off (léi a:f).

Despreocupado. Carefree (kérfree).

Desprolijo. Shabby (shæbi).

Después del mediodía. P.M. (pi: em).

Después. After (æfte:r).

Destino. Destination (destinéishen).

Destornillador. Screw driver (skru: dráive:r).

Devolver un llamado

Diccionario

Dieciséis

Destrozar. Vandalize (vændelaiz).

Destrucción. Destruction (distrákshen).

Destruir una construcción. Tear apart (ter epá:rt).

Destruir. Destroy (distrói).

Detalle. Detail (díteil).

Detrás. Behind (bijáind).

Deuda. Debt (dét).

Devolver dinero. Pay back (péi bæk).

Devolver un llamado. Call back (ka:l bæk).

Devolver. Give back (giv bæk).

Devolver. Return (rité:rn).

Día. Day (déi).

Diario personal en Internet. Blog (bla:g).

Diario. Newspaper (nu:spéiper).

Dibujar. Draw (dra:w).

Diccionario. Dictionary (díksheneri).

Diciembre. December (disémbe:r).

Diecinueve. Nineteen (naintí:n).

Dieciocho. Eighteen (eitín).

Dieciséis. Sixteen (sikstí:n).

Diecisiete. Seventeen (seventí:n).

Diente. Tooth (tu:z).

Dientes. Teeth (ti:z).

Diez centavos de dólar. Dime (dáim).

Diez. Ten (ten).

Diferencia. Difference (díferens).

Difícil. Difficult (dífikelt).

Diploma

Difícil. Hard (ja:rd).

Digestión. Digestion (daishéschen).

Dinero. Money (máni).

Dinero en efectivo. Cash (kæsh).

Diploma. Diploma (diplá:me).

Dirección. Address (ædres).

Director de una escuela. Headmaster (jédmæste:r).

Discar. Dial (dáiel).

Discoteca. Disco (dískou).

Disculparse. Apologize (epá:leshaiz).

Discusión. Argument (a:rgiument).

Diseñador gráfico. Graphic designer (græfik dizáine:r).

Diseñar. Design (dizáin).

Disfrutar

Disfrutar. Enjoy (inshói).

Disgustado. Upset (apsét).

Disgusto. Anger (ænsher).

Disminuir el nivel de actividad. Slow down (slóu dáun).

Disminuir la marcha. Slow down (slóu dáun).

Disminuir. Go down (góu dáun).

Disolver. Dissolve (diza:lv).

Dispersar. Spread (spréd).

Distancia. Distance (dístens).

Distancia

Distraído. Absent-minded (æbsent máindid).

Distribución. Distribution (distribyu:shen).

Diversión. Amusement (emyú:zment).

Doctor

Dólar

Dolor de garganta

Divertido. Cool (ku:l).

Divertido. Funny (fáni).

División. Division (divíshen).

Divorciado. Divorcee (devo:rsei).

Divorciarse. Get divorced (get divo:rst).

Doblar. Fold (fóuld).

Doblar. Turn (te:rn).

Doble. Double (dábel).

Doce. Twelve (twélv).

Docena. Dozen (dázen).

Doctor. Doctor (dá:kte:r).

Documental. Documentary (da:kyu:ménteri).

Documento de identidad. I.D. Card (ái di: ka:rd).

Dólar. Dollar (dá:le:r).

Doler. Hurt (he:rt).

Dolor de cabeza. Headache (jédeik).

Dolor de espalda. Backache (bækeik).

Dolor de estómago. Stomachache (stá:mekeik).

Dolor de garganta. Sore throat (so:r zróut).

Dolor de muelas. Toothache (tú:zéik).

Dolor de oídos. Earache (íreik).

Dolorido. Sore (so:r).

Doloroso. Painful (péinfel).

Domingo. Sunday (sándei).

¿Dónde? Where? (wer).

Dorado. Gold (góuld).

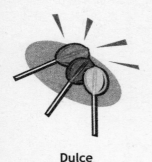

Dormir. Sleep (sli:p).

Dormitorio. Bedroom (bédrum).

Dos veces. Twice (tuáis).

Dos. Two (tu:).

Droguería. Drugstore (drágsto:r).

Dubitativo. Doubtful (dáutfel).

Duda. Doubt (dáut).

Dulce. Sweet (swi:t).

Dulce

Durante. During (during).

E

Ecológico

Ebriedad. Drunkenness (dránkennes).

Echarse atrás. Back out (bæk áut).

Ecológico. Ecological (ikelá:shikel).

Ecologista. Ecologist (iká:leshist).

Económico. Economical (ikená:mikel).

Edad. Age (eish).

Edificio. Building (bílding).

Educación. Education (eshekéishen).

Efecto. Effect (ifékt).

Eficiente. Efficient (efíshent).

Egocéntrico. Self-centered (self séne:rd).

Egoísta. Selfish (sélfish).

Edificio

Ejemplo. Example (igzæmpel).

Ejercicio. Exercise (éksersaiz).

Elefante

Empleada doméstica

En liquidación

Ejercicios aeróbicos. Aerobics (eróubiks).

El de/la de. One (wan).

El, la, las, los. The (de).

Él. He (ji:).

Elección. Election (ilékshen).

Electricista. Electrician (elektríshen).

Elefante. Elephant (élefent).

Elegante. Elegant (élegent).

Elegir. Pick out (pik áut).

Eliminar. Do away with (du: ewéi wid).

Ella. She (shi:).

Ellos/as. They (déi).

Embalaje. Packaging (pǽkeshing).

Embrague. Clutch (klách).

Empleada doméstica. Maid (méid).

Empleado administrativo. Administra-tive officer (edminístretiv á:fise:r).

Empleado de la aduana. Customs officer (kástems á:fise:r).

Empleado de oficina. Office clerk (a:fis kle:rk).

Empleado público. Civil servant (sívil sérvent).

Empleado. Clerk (kle:rk).

Empleado. Employee (imploií:).

Empleador. Employer (implóie:r).

Empujar. Push (push).

Empuje. Push (push).

En (medios de transporte). By (bái).

En liquidación. On sale (a:n séil).

Enamorarse

Encender

Enfermera

En punto. O'clock (eklá:k).

En realidad. Actually (ǽkchueli).

En. In (in).

Enamorarse. Fall for (fa:l fo:r).

Encantar. Love (lav).

Encargado de un edificio u hotel. Door person (do:r pé:rsen).

Encargarse de algo. See to (si: tu:).

Encender. Turn on (te:rn a:n).

Enchufe. Plug (plag).

Enciclopedia. Encyclopedia (insaiklepí:die).

Encontrar. Find (fáind).

Encontrarse con alguien por casualidad. Run into (ran intu:).

Encontrarse con alguien. Meet (mi:t).

Encuesta. Poll (póul).

Enemigo. Enemy (énemi).

Energético. Energetic (ene:rshétik).

Energía solar. Solar energy (sóule:r éne:rshi).

Enero. January (shǽnyu:eri).

Enfermedad del corazón. Heart disease (há:rt dizí:z).

Enfermedad. Disease (dizí:z).

Enfermedad. Illness (ílnes).

Enfermera. Nurse (ners).

Enfermo. Sick (sik).

Enfrente de. In front of (in fran:t ev).

Enojado. Angry (ǽngri).

Enseñar

Entrar en calor

Entretenimiento

Enojarse mucho. Go mad (góu mæd).

Enrojecer. Blush (blush).

Enrulado. Curly (ke:rli).

Ensalada de verduras. Salad (sæled).

Enseñar. Teach (ti:ch).

Entender con dificultad. Make out (méikáut).

Entender. Understand (anderstænd).

Entero. Whole (jóul).

Entonces. Then (den).

Entrada. Starter (stá:re:r).

Entrar en calor. Warm up (wa:rm ap).

Entrar en un automóvil. Get in (get in).

Entrar ilegalmente. Trespass (trespæs).

Entrar. Come in (kam in).

Entre. Between (bitwí:n).

Entregar algo que se ha ordenado o pedido. Hand over (jænd óuve:r).

Entregar. Hand (jænd).

Entretenimiento. Fun (fan).

Entretenimiento. Entertainment (ene:rtéinment).

Entrevista. Interview (ínner:viu:).

Entusiasmado. Enthusiastic (inzú:siestik).

Entusiasmado. Excited (iksáirid).

Envase de cartón. Carton (ká:rten).

Envenenar. Poison (póisen).

Enviar por correo. Mail (méil).

Enviar. Deliver (dilíve:r).

Enviar. Send (sénd).

Enviar. Ship (ship).

Envidioso. Envious (énvies).

Envío a domicilio. Delivery (dilíve:ri).

Envío. Shipment (shipment).

Equipaje. Baggage (bægish).

Equipaje

Equitación. Horseback riding (jó:rsbæk ráiding).

Equivocado. Wrong (ra:ng).

Error. Error (é:re:r).

Eructar. Burp (be:rp).

Es. Is (is).

Esa, ese, eso, aquella, aquel, aquello. That (dæt).

Esas/os, aquellas/os. Those (dóuz).

Escalar. Climb (kláim).

Escalera mecánica. Escalator (éskeleire:r).

Escalera. Stair (stér).

Escáner. Scanner (skæne:r).

Escalera

Escapar. Run away (ran ewéi).

Escéptico. Skeptical (sképtikel).

Escribir. Write (ráit).

Escritorio. Desk (désk).

Escuchar. Listen (lísen).

Escuela primaria. Elementary school (eleménteri sku:l).

Escuela primaria. Primary school (práime:ri sku:l).

Escribir

Escuela secundaria. High school (jái sku:l).

Escuela secundaria. Secondary school (sékende:ri sku:l).

Especia

Escuela. School (sku:l).

Espacio. Space (spéis).

Especia. Spice (spáis).

Especial. Special (spéshel).

Espectáculo. Show (shóu).

Espejo. Mirror (míre:r).

Esperanza. Hope (jóup).

Esperar ansiosamente. Look forward to (luk fó:rwe:rd tu:).

Esperar. Hang on (jæng a:n).

Esperar. Hope (jóup).

Esperar. Wait (wéit).

Espesar. Thicken (zíken).

Espolvorear. Sprinkle (sprínkel).

Esposa. Wife (wáif).

Esquí sobre nieve

Esposo. Husband (jázbend).

Esquí acuático. Water ski (wá:re:r ski:).

Esquí sobre nieve. Skiing (ski:).

Esquiar. Ski (ski:).

Esquina. Corner (kó:rne:r).

Esta noche. Tonight (tenáit).

Esta/este/esto. This (dis).

Establecer. Set up (set ap).

Establecerse en un lugar. Settle (sérl).

Estación del año. Season (sí:zen).

Estación del año

Estación. Station (stéishen).

Estadía. Stay (stéi).

Estado de ánimo. Mood (mu:d).

Estampilla

Estufa a leña

Excursionismo

Estado. State (stéit).

Estampilla. Stamp (stæmp).

Estante. Shelf (shelf).

Estar de acuerdo. Agree (egrí:).

Estar deprimido. Feel down (fi:l dáun).

Estas/estos. These (di:z).

Estilo. Style (stáil).

Estómago. Stomach (stá:mek).

Estornudar. Sneeze (sni:z).

Estudiante. Student (stú:dent).

Estudiar. Study (stádi).

Estufa a leña. Fireplace (fáirpleis).

Evento. Event (ivént).

Evitar hacer algo. Pass on (pæs a:n).

Exactamente. Exactly (igzæktli).

Excedido en peso. Overweight (óuve:rweit).

Excelente. Excellent (ékselent).

Excursionismo. Hiking (jáiking).

Exención de impuestos. Exemption (iksémpshen)

Exhalar. Exhale (ikséil).

Exhausto. Exhausted (igzá:stid).

Exigente. Demanding (dimænding).

Existencia. Existence (eksístens).

Expansión. Expansion (ikspænshen).

Experiencia. Experience (íkspíriens).

Experimentar. Experience (ikspí:riens).

Experto. Expert (ékspe:rt).

Extranjero

Explicar. Explain (ikspléin).

Explotar. Blow up (blóu ap).

Explotar. Burst (be:rst).

Extinción. Extinction (ikstínkshen).

Extranjero. Alien (éilien).

Extranjero. Foreign (fó:ren).

Extrovertido. Outgoing (autgóuing).

F

Familia

Fabricante. Manufacturer (mænyufækche:re:r).

Fácil. Easy (í:zi).

Factura de (electricidad, etc). Bill (bil).

Facultad. Faculty (fækelti).

Falda. Skirt (ske:rt).

Familia. Family (fæmeli).

Fantástico. Great (gréit).

Farmacéutico. Pharmacist (fá:rmesist).

Farmacia. Drugstore (drágsto:r).

Fascinado. Fascinated (fæsineirid).

Favorito. Favorite (féivrit).

Fax. Fax machine (fæks meshín).

Febrero. February (fébru:eri).

Fecha. Date (déit).

Feliz. Happy (jæpi).

Feo, horrible. Awful (á:fel).

Fax

Filete

Feriado. Holiday (já:lidei).

Ficción. Fiction (fíkshen).

Fiebre. Fever (five:r).

Fiesta. Party (pá:ri).

Fila. Line (láin).

Filete. Steak (stéik).

Filosofía. Philosophy (filá:sefi).

Filtro protector. Firewall (fáirwa:l).

Fin de semana. Weekend (wí:kend).

Fin. End (end).

Final. Final (fáinel).

Finalmente. Finally (fáineli).

Firmar. Sign (sáin).

Fiscal. Prosecutor (prá:sikyú:re:r).

Física. Physical (físikel).

Flaquear. Break down (bréik dáun).

Flor

Flor. Flower (flaue:r).

Florista. Florist (flo:rist).

Forma. Form (fo:rm).

Formal. Formal (fó:rmel).

Formulario de solicitud. Application form (æplikéishen fo:rm).

Forzar. Force (fo:rs).

Fosas nasales. Nostrils (ná:strils).

Foto. Photo (fóure).

Foto. Picture (píkche:r).

Foto

Fotocopiadora. Photocopier (fóureka:pie:r).

Fotografía. Photograph (fóuregræf).

Fotógrafo

Fotografía. Photography (foutóugrefi).

Fotógrafo. Photographer (fetá:grefe:r).

Frambuesa. Raspberry (ræspberi).

Franco. Candid (kændid).

Frasco. Jar (sha:r).

Fraude informático. Scam (skæm).

Fraude. Fraud (fro:d).

Frazada. Blanket (blænket).

Freír con fuego fuerte. Sear (sir).

Freír. Fry (frái).

Freno de manos. Parking brake (pa:rking bréik).

Freno. Brake (bréik).

Frente. Forehead (fá:rid).

Frente. Front (fra:nt).

Fresas. Strawberries (strá:beri).

Fresas

Fresco. Cool (ku:l).

Frijoles. Beans (bi:ns).

Frío. Cold (kóuld).

Frontal. Straight-forward (stréit fó:rwe:rd).

Frontera. Border (bo:rde:r).

Fruncir el seño. Frown (fráun).

Frustrado. Frustrated (frastréirid).

Fruta. Fruit (fru:t).

Frutos del mar. Seafood (sí:fud).

Fuego

Fue. Was (wos).

Fuego. Fire (fáir).

Fuerza. Force (fo:rs).

Fumar. Smoke (smóuk).

Funcionar (una situación). Work out (we:rk áut).

Furioso. Furious (fyé:ries).

Furioso. Mad (mæd).

Fútbol americano. Football (fútba:l).

Fútbol. Soccer (sá:ke:r).

Fútbol

G

Gabardina. Trench coat (trench kóut).

Galón. Gallon (gælen).

Ganso. Goose (gu:s).

Garganta. Throat (zróut).

Gasolina. Gas (gæs).

Gasolina. Gasoline (gæselin).

Gasolinera. Gas station (gæs stéishen).

Gastar dinero. Spend (spénd).

Gato. Cat (kæt).

Gato

Generalmente. Generally (shénereli).

Generoso. Generous (shéneres).

Gente. People (pí:pel).

Gerente. Manager (mænishe:r).

Gimnasia. Gym (shim).

Gimnasia. Gymnastics (shimnæstiks).

Gimnasio. Gym (shim).

Gimnasia

Girar dinero. Wire (wáir).

Giro postal. Money order (máni ó:rde:r).

Gobernador. Governor (gáve:rne:r).

Gobierno. Government (gáve:rnment).

Golf. Golf (ga:lf).

Golpear a alguien hasta que se desvanece. Knock out (na:k áut).

Golpear repetidamente. Knock (na:k).

Goma. Tire (táie:r).

Goma

Gordo. Fat (fæt).

Gordo. Heavy (jévi).

Gorra. Cap (kæp).

Gota. Drop (dra:p).

Grabado en piedra o metal. Engraving (ingréiving).

Grado. Degree (digrí:).

Grados centígrados. Degrees Celsius (digrí:z sélsies).

Grados Fahrenheit. Degrees Fahrenheit (digrí:z færenjáit).

Granjero

Gramo. Gram (græm).

Grande. Big (big).

Grande. Large (la:rsh).

Granjero. Farmer (fá:rme:r).

Grasa. Fat (fæt).

Grieta. Crack (kræk).

Gripe. Flu (flu:).

Gris. Gray (gréi).

Gritar

Grisín. Breadstick (brédstik).

Gritar. Cry (krái).

Grupo. Group (gru:p).

Guante

Guía telefónica

Guante. Glove (glav).

Guardaparques. Park ranger (pa:rk réinshe:r).

Guardar. Put away (put ewéi).

Guardavida. Lifeguard (láifga:rd).

Guardia de seguridad. Security guard (sekyú:riti ga:rd).

Guía de turismo. Tour guide (tur gáid).

Guía telefónica. Directory (dairékteri).

Guía. Guide (gáid).

Guiñar un ojo. Wink (wink).

Gustar. Like (láik).

Gusto. Taste (téist).

H

Hacer ejercicio físico

Habilidad. Skill (skil).

Habilidades. Ability (ebíleri).

Habitación. Room (ru:m).

Hablar sobre algo. Bring up (bring ap).

Hablar. Speak (spi:k).

Hacer acordar. Remind (rimáind).

Hacer algo regularmente. Be into (bi: intu:).

Hacer caer. Drop (dra:p).

Hacer copia de seguridad de archivos electrónicos. Back up (bæk ap).

Hacer ejercicio físico. Work out (we:rk áut).

Hacer ejercicio. Exercise (éksersaiz).

Hacer explotar. Blow up (blóu ap).

Hacer explotar. Set off (set a:f).

Hacer. Do (du:).

Hacer. Make (méik).

Hacerse público. Come out (kam áut).

Hacha. Axe (æks).

Hacha

Hacia. To (tu:).

Harina. Flour (fla:er).

Hay (pl). There are (der a:r).

Hay (sing). There is (der iz).

Hebilla. Buckle (bákel).

Hecho. Fact (fækt).

Helada. Frost (fra:st).

Helado. Ice cream (áis kri:m).

Hepatitis. Hepatitis (jepetáiris).

Herida (de arma). Wound (wu:nd).

Helado

Herida. Injury (ínsheri).

Hermana. Sister (síste:r).

Hermano. Brother (bráde:r).

Hermoso. Beautiful (biú:rifel).

Herramienta. Tool (tu:l).

Hervir. Boil (boil).

Hielo. Ice (áis).

Hierba aromática. Herb (jérb).

Hermana

Hierro. Iron (áiren).

Hija. Daughter (dá:re:r).

Hijo. Child (cháild).

Hockey sobre hielo

Hoja de papel

Hongo

Hijo. Son (san).

Hijos. Children (chíldren).

Himno nacional. National anthem (næshional anzem).

Himno. Hymn (jim).

Hincharse. Swell (swél).

Hipo. Hiccup (jíkap).

Hipócrita. Hypocrite (jípekrit).

Hipoteca. Mortgage (mo:rgish).

Historia. History (jíste:ri).

Historieta. Comic (ká:mik).

Hockey sobre hielo. Ice hockey (áis ja:ki).

Hockey. Hockey (já:ki).

Hogar. Home (jóum).

Hoja de papel. Sheet (shi:t).

Hola. Hello (jelóu).

Hola. Hi (jái).

Hombre. Man (mæn).

Hombres. Men (men).

Hombro. Shoulder (shóulde:r).

Homicidio. Homicide (já:mesáid).

Honestidad. Honesty (á:nesti).

Honesto. Honest (á:nest).

Hongo. Mushroom (máshru:m).

Honor. Honor (á:ner).

Hora. Hour (áur).

Hora. Time (táim).

Horno a microondas

Hormiga. Ant (ænt).

Hornear. Bake (béik).

Horno a microondas. Microwave oven (máikreweiv óuven).

Horno. Oven (óuven).

Horror. Horror (jó:re:r).

Hospedarse. Stay (stéi).

Hotel. Hotel (joutél).

Hoy. Today (tudei).

Huésped. Guest (gést).

Huevo. Egg (eg)

Húmedo. Wet (wet).

Humor. Humor (jiu:me:r).

Huracán

Huracán. Hurricane (hárikéin).

Hurto en tiendas. Shoplifting (shá:plifting).

I

Idea

Idea. Idea (aidíe).

Idioma. Language (længuish).

Imaginar una idea o plan. Dream up (dri:m ap).

Imaginar. Imagine (imæshin).

Imaginativo. Imaginative (imæshíneriv).

Impaciente. Impatient (impéishent).

Impermeable. Raincoat (réinkout).

Impermeable. Waterproof (wá:re:rpru:f).

Importante. Important (impó:rtent).

Impresora

Ingeniero

Ingrediente

Impresora. Printer (príne:r).

Impuesto. Tax (tæks).

Impulso. Impulse (ímpals).

Incendio. Fire (fáir).

Incluir a alguien en una actividad. Count in (káunt in).

Incómodo. Embarrassed (imbérest).

Incorrecto. Wrong (ra:ng).

Increíble. Incredible (inkrédibel).

Incumplimiento. Default (difá:lt).

Indeciso. Indecisive (indisáisiv).

Indigente. Indigent (índishent).

Indigestión. Indigestion (indishéschen).

Indoloro. Painless (péinless).

Industria. Industry (índestri).

Infantil. Childish (cháildish).

Infarto. Heart attack (ha:rt etá:k).

Infeliz. Unhappy (anjæpi).

Inflar. Blow up (blóu ap).

Información. Directory Assistance (dairékteri esístens).

Información. Information (infe:rméishen).

Informal. Casual (kæshuel).

Informar en secreto. Tip off (tip a:f).

Infracción. Infraction (infrækshen).

Ingeniero. Engineer (enshinír).

Inglés. English (inglish).

Ingrediente. Ingredient (ingri:dient).

Inodoro

Ingresar. Enter (éne:r).

Ingreso. Income (ínkam).

Inhalar. Inhale (injéil).

Inmediato. Immediate (imí:diet).

Inmigración. Immigration (imigréishen).

Inocente. Innocent (ínesent).

Inodoro. Toilet (tóilet).

Insecto. Insect (ínsekt).

Inseguro. Self-conscious (self ká:nshes).

Inspector de construcción. Construction inspector (kenstrákshen inspékte:r).

Instrucciones. Directions (dairékshen).

Instructor. Facilitator (fesílitéire:r).

Instructor. Instructor (instrákte:r).

Instrumento

Instrumento. Instrument (ínstrement).

Inteligente. Clever (kléve:r).

Inteligente. Intelligent (intélishent).

Inteligente. Smart (sma:rt).

Intentar lograr. Go for (góu fo:r).

Intentar. Attempt (etémpt).

Intercambio. Exchange (ikschéinsh).

Interés. Interest (íntrest).

Interesante. Interesting (íntresting).

Internacional. International (inte:rnæshenel).

Internet. Internet (íne:rnet).

Internacional

Intérprete. Interpreter (inté:rprite:r).

Intruso. Trespasser (trespæse:r).

Inundación. Flood (flad).

Invierno

Invención. Invention (invénshen).

Inventar una excusa. Make up (méik ap).

Inventar. Invent (invént).

Invierno. Winter (wíne:r).

Invitación. Invitation (invitéishen).

Invitar a salir. Ask out (æsk áut).

Invitar. Invite (inváit).

Ir a conocer un lugar nuevo. Check out (chek áut).

Ir hacia un lugar. Head for (jed fo:r).

Ir. Go (góu).

Irresponsable. Irresponsible (irispá:nsible).

Irritado. Irritated (íritéirid).

Irse. Be off (bi: a:f).

Izquierda. Left (left).

Ir a conocer un lugar nuevo

J

Jardinería

Jabón. Soap (sóup).

Jactarse. Show off (shóu a:f).

Jalea. Jelly (shéli).

Jamón. Ham (jæm).

Jardín. Garden (gá:rden).

Jardinería. Gardening (ga:rdening).

Jardinero. Gardener (gá:rdene:r).

Jefe de porteros en un hotel. Bell captain (bel kæpten).

Jirafa

Juego de damas

Justicia

Jengibre. Ginger (**shi:nshe:r**).

Jerez. Sherry (**shéri**).

Jirafa. Giraffe (**shirá:f**).

Joven. Young (**ya:ng**).

Jubilación. Retirement (**ritáirment**).

Jubilarse. Retire (**ritáir**).

Juego de cartas. Card game (**ka:rd géim**).

Juego de comedor. Dining set (**dáinig set**).

Juego de damas. Checkers (**chéke :rs**).

Juego de mesa. Board game (**bo:rd géim**).

Juego de video. Video game (**vídi:o géim**).

Juego. Game (**géim**).

Juegos electrónicos. Game system (**géim sistem**).

Jueves. Thursday (**zérzdei**).

Juez. Judge (**shash**).

Jugador. Player (**pléie:r**).

Jugar eliminatorias. Play off (**pléi a:f**).

Jugar. Play (**pléi**).

Jugo. Juice (**shu:s**).

Juicio. Trial (**tráiel**).

Julio. July (**shelái**).

Junio. June (**shu:n**).

Jurado. Jury (**shu:ri**).

Juramento. Oath (**óuz**).

Jurar. Swear (**swer**).

Justicia. Justice (**shástis**).

K

Karate. Karate (kerá:ri).

Kilogramo. Kilogram (kílegræm).

Kilómetro. Kilometer (kilá:mire:r).

Karate

L

La, le, a ella. Her (je:r).

Laboral. Labor (léibe:r).

Lacio. Straight (stréit).

Ladrón de tiendas. Shoplifter (shá:plifte:r).

Ladrón. Burglar (bé:rgle:r).

Ladrón. Robber (rá:be:r).

Ladrón. Thief (zi:f).

Lacio

Lagarto. Alligator (eligéire:r).

Lágrima. Tear (tir).

Lamer. Lick (lik).

Lámpara de techo. Chandelier (chændelir).

Lámpara. Lamp (læmp).

Lámparas de techo. Light fixture (láit fiksche:r).

Lancha. Motorboat (móure:rbout).

Langosta. Lobster (lá:bste:r).

Lámpara

Langostino. Prawn (pra:n).

Lavar

Leche

Letra

Lanzar. Throw (zróu).

Lápiz. Pencil (pénsil).

Largo. Long (lan:g).

Lata. Can (kæn).

Lavar. Wash (wa:sh).

Lavarropas. Washing machine (wa:shing meshín).

Leal. Loyal (lóiel).

Lealtad. Loyalty (lóielti).

Leche descremada. Skim milk (skim milk).

Leche entera. Whole milk (jóul milk).

Leche. Milk (milk).

Lechuga. Lettuce (léres).

Leer. Read (ri:d).

Legal. Lawful (lá:fel).

Legal. Legal (lí:gel).

Legítimo. Lawful (lá:fel).

Lejos. Far (fa:r).

Lengua. Tongue (ta:ng).

Lenguado. Sole (sóul).

Lentamente. Slowly (slóuli).

León. Lion (láien).

Les, las, los, a ellos/as. Hem (dem).

Letra. Letter (lére:r).

Levantar pesas. Weight lifting (wéit lífting).

Levantar vuelo. Take off (téik off).

Levantar. Lift (lift).

Levantar. Put up (pik ap).

Libro

Licuado

Limpiar

Levantar. Raise (réiz).

Levantarse de la cama. Get up (get ap).

Ley. Act (ækt).

Ley. Law (la:).

Libertad bajo fianza. On bail (a:n béil).

Libertad bajo palabra. On parole (a:n peróul).

Libertad condicional. On probation (a:n proubéishen).

Libra. Pound (páund).

Libre. Free (fri:).

Libro. Book (buk).

Licencia de conductor. Driver license (dráiver láisens).

Licuado. Milk shake (milk shéik).

Liderar. Lead (li:d).

Límite. Limit (límit).

Limón. Lemon (lémen).

Limonada. Lemonade (lémeneid).

Limpiar. Clean (kli:n).

Limpio. Clean (limpio).

Línea. Line (láin).

Líquido. Liquid (líkwid).

Lista de compras. Shopping list (shá:ping list).

Lista de correo. Mailing list (méiling list).

Lista. List (list).

Listo. Ready (rédi).

Llama. Flame (fléim).

Llamada. Call (ka:l).

Llamar. Call (ka:l).

Llave. Key (ki:).

Llegada. Arrival (eráivel).

Llegar. Arrive (eráiv).

Llegar. Get (get).

Llegar. Get to (get tu:).

Llave

Llegar. Show up (shóu ap).

Llegar. Turn up (te:rn ap).

Llenar completamente. Fill up (fil ap).

Llenar. Fill (fil).

Llevar a cabo. Set out (set áut).

Llevar. Carry (kéri).

Llevar. Take (téik).

Llevarse (bien o mal) con alguien. Get along with (get ela:ng).

Llevar

Llorar. Cry (krái).

Lluvia ácida. Acid rain (æsid réin).

Lluvia. Rain (réin).

Lluvioso. Rainy (réini).

Lo, le, a él. Him (jim).

Lo/le (a ello). It (it).

Lobby. Lobby (lá:bi).

Locador. Landlord (lændlo:rd).

Locadora. Landlady (lændléidi).

Loción para afeitar. Shaving lotion (shéiving lóushen).

Lluvioso

Loro. Parrot (péret).

Lucha libre. Wrestling (résling).

Luchar

Lucha. Fight (fáit).

Luchar. Fight (fáit).

Luego. Then (den).

Lugar. Place (pléis).

Luna. Moon (mu:n).

Lunes. Monday (mándei).

Luz. Headlight (jédlait).

Luz. Light (láit).

M

Madre

Maíz

Madera. Wood (wud).

Madre. Mother (máde:r).

Maestro. Teacher (tí:che:r).

Magulladura. Bruise (bru:z).

Maíz. Corn (ko:rn).

Mal carácter. Bad-Tempered (bæd témperd).

Maleducado. Impolite (impeláit).

Maleducado. Rude (ru:d).

Maleta. Suitcase (sú:tkeis).

Maletero. Trunk (tránk).

Malgastar. Waste (wéist).

Malo. Bad (bæd).

Mandarina. Tangerine (tænsheri:n).

Mandíbula. Jaw (sha:).

Manera. Way (wéi).

Mano

Manga. Sleeve (sli:v).

Mango. Mango (mængou).

Maní. Peanut (pí:nat).

Manicura. Manicurist (meníkiu:rist).

Mano. Hand (jænd).

Mantener económicamente. Provide for (preváid for:).

Mantener el ritmo. Keep up with (ki:p ap wid).

Mantenerse al día. Keep up with (ki:p ap wid).

Mantenerse alejado. Keep away (ki:p ewái).

Mantequilla. Butter (báre:r).

Mantequilla de maní. Peanut butter (pí:nat báre:r).

Manzana. Apple (æpel).

Mañana. Morning (mo:rning).

Mañana. Tomorrow (temórou).

Máquina. Machine (meshín).

Manzana

Mar. Sea (si:).

Marca. Make (méik).

Marcar como vistos en una lista. Check off (chek a:f).

Marcharse. Walk away (wa:k ewéi).

Mareado. Dizzy (dízi).

Maremoto. Tsunami (senæmi).

Marinar. Marinade (mærineid).

Mariposa. Butterfly (báre:rflái).

Marrón. Brown (bráun).

Mariposa

Martes. Tuesday (tu:zdei).

Martillo. Hammer (jæme:r).

Marzo. March (ma:rch).

Más. More (mo:r).

Masa. Dough (dóu).

Masa. Mass (mæs).

Masaje. Massage (mesá:**sh**).

Mascota. Pet. (p**e**t).

Masticar. Chew (chu:).

Matar. Kill (kil).

Materia. Subject (sáb**sh**ekt).

Mayo. May (méi).

Maza. Sledgehammer (slé**sh**jæme:r).

Me, a mí. Me (mi:).

Mecánico. Mechanic (mekænik).

Mecedora. Rocker (rá:ke:r).

Media jornada. Part-time (pa:rt táim).

Medianamente cocida. Medium (mí:diem).

Mediano. Medium (mi:diem).

Medicina. Medicine (médisen).

Medicinas de venta libre. O.T.C (óu ti: si:).

Médico de cabecera. Family doctor (fæmeli dákte:r).

Médico. Physician (fizí**sh**en).

Medida. Measure (mé**sh**e:r).

Medida. Measurement (mé**sh**e:rment).

Medio ambiente. Environment (inváirenment).

Medio. Half (ja:f).

Medios de comunicación masiva. Mass media (mæs mi:die).

Medios de comunicación. Media (mi:die).

Masaje

Mecedora

Medida

Melocotón

Medios de transporte. Transportation (trænspo:rtéishen).

Medir. Measure (méshe:r).

Mejilla. Cheek (chi :k).

Mejor. Better (bérer).

Mejorar (el tiempo). Clear up (klíe:r ap).

Mejorar (una enfermedad). Clear up (klíe:r ap).

Mejorar. Improve (imprú:v).

Melocotón. Peach (pi:ch).

Melón. Melon (mélen).

Menos. Less (les).

Mensaje. Message (mésish).

Mentir. Lie (lái).

Mentón. Chin (chin).

Menú. Menu (ményu:).

Mercado. Market (má:rket).

Mercado

Mermelada. Jam (shæm).

Mermelada. Marmalade (má:rmeleid).

Mes. Month (mánz).

Mesa de centro. Coffee table (ká:fi téibel).

Mesa. Table (téibel).

Mesera. Waitress (wéitres).

Mesero. Waiter (wéire:r).

Mesita de noche. Nightstand (náitstænd).

Metal. Metal (mérel).

Mezcla. Mixture (míksche:r).

Mesa

Mezclado. Mixed (míkst).

Mezclar. Mix (miks).

Misterio

Molesto

Moneda

Mezclar. Blend (blénd).

Mi. My (mái).

Miedo. Fear (fír).

Miembro del jurado. Juror (shu:re:r).

Mientras. While (wáil).

Miércoles. Wednesday (wénzdei).

Mil. Thousand (záunsend).

Milímetro. Millimeter (mílimi:re:r).

Milla. Mile (máil).

Millón. Million (mílien).

Mío/a. Mine (máin).

Mirar. Look (luk).

Mirar. Watch (wa:ch).

Misa. Mass (mæs).

Mismo. Same (seim).

Misterio. Mystery (místeri).

Moda. Fashion (fæshen).

Modelo. Model (má:del).

Moho. Mold (móuld).

Molesto. Annoyed (enóid).

Momento. Moment (móument).

Moneda. Coin (kóin).

Mono. Monkey (mánkei).

Mordedura, picadura. Bite (báit).

Morder. Bite (báit).

Morir. Die (dái).

Morir. Pass away (pæs ewéi).

Mosca. Fly (flái).

Motor

Muchacha

Muleta

Mosquito. Mosquito (meskí:reu).

Mostrador. Counter (káunte:r).

Mostrar un lugar. Show around (shóu eráund).

Mostrar. Show (shóu).

Motor. Engine (énshin).

Mover. Move (mu:v).

Moverse velozmente. Speed (Spi:d).

Movimiento. Movement (mu:vment).

Muchacha. Girl (ge:rl).

Mucho. A lot (e la:t).

Mucho. Much (ma:ch).

Muchos. Many (maeni).

Mudarse. Move (mu:v).

Mudarse. Move away (mu:v ewái).

Muebles. Furniture (fé:rnicher).

Muerte. Death (déz).

Mujer. Woman (wumen).

Muleta. Crutch (krách).

Multa. Ine (fáin).

Multa. Penalty fee (pénalti fi:).

Mundo. World (we:rld).

Muñeca. Wrist (rist).

Murciélago. Bat (bæt).

Músculo. Muscle (másel).

Museo. Museum (myu:zium).

Muslo. Thigh (zái).

Muy bien. O.K. (óu kéi).

Muy flaco. Skinny (skíni).

Muy. Pretty (príri).

Muy. Very (véri).

N

Nacimiento. Birth (be:rz).

Nación. Nation (néishen).

Nacionalidad. Nationalities (næshenæliri).

Nada. Nothing (názing).

Nadar. Swim (swim).

Nalga. Buttock (bárek).

Naranja. Orange (á:rinsh).

Nadar

Narcotraficante. Drug dealer (drág di:le:r).

Narcotráfico. Drug dealing (drág di:ling).

Nariz. Nose (nóuz).

Natación. Swimming (swíming).

Naturaleza. Nature (néiche:r).

Naturalización. Naturalization (næchera:laizéishen).

Navegación a vela. Sailing (séiling).

Navegador. Browser (bráuze:r).

Navegar por Internet. Browse (bráuz).

Navegar. Navigate (nævigéit).

Navegar. Surf (se:rf).

Navegación a vela

Navidad. Christmas (krísmes).

Necesario. Necessary (néseseri).

Necesitar. Need (ni:d).

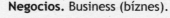

Nieve

Negocios. Business (bíznes).

Negro. Black (blæk).

Nervioso. Nervous (nérves).

Nevoso. Snowy (snóui).

Ni... ni. Neither... nor (ní:de:r/náide:r...no:r).

Nieve. Snow (snóu).

Niñera. Baby sitter (béibi síre:r).

Niñera. Nanny (næni).

Niño, chico. Kid (kid).

Niño. Child (cháild).

Niños. Children (chíldren).

Nivel. Level (lével).

No. No (nou).

No residente. Nonresident (na:nrézident).

Noche. Evening (í:vning).

Noche. Night (náit).

Niño

Nombrar. Name (néim).

Nombre del usuario. User ID (yu:ze:r ái di:).

Nombre. Name (néim).

Nos, a nosotros. Us (as).

Nosotros. We (wi:).

Nostálgico. Homesick (jóumsik).

No. Not (not).

Nota. Mark (ma:rk).

Notario. Notary (nóure:ri).

Noticias

Noticias. News (nu:z).

Notificar. Notify (nóurefái).

Noveno. Ninth (náinz).

Novia

Nublado

Noventa. Ninety (náinri).

Novia. Bride (bráid).

Novia. Girlfriend (gé:rlfrend).

Noviembre. November (nouvémbe:r).

Novio. Boyfriend (bóifrend).

Novio. Groom (gru:m).

Nube. Cloud (kláud).

Nublado. Cloudy (kláudi).

Nuestro. Our (áuer).

Nuestro. Ours (áuers).

Nueve. Nine (náin).

Nuevo. New (nu:).

Nuez moscada. Nutmeg (nátmeg).

Nuez. Walnut (wa:lnut).

Número. Number (námbe:r).

Número gratuito. Toll-free number (tóul fri: námbe:r).

Número interno. Extension (iksténshen).

Nunca. Never (néve:r).

Nutritivo. Nutritious (nu:tríshes).

O

Obeso

O. Or (o:r).

O... o. Either... or (áide:r/ íde:r...o:r).

Obesidad. Obesity (oubí:se:ri).

Obeso. Obese (oubí:s).

Ocupado

Oferta

Oloroso

Obrero de la construcción. Construction worker (kenstrákshen we:rke:r).

Obtener un préstamo. Take out (téik áut).

Ochenta. Eighty (éiri).

Ocho. Eight (éit).

Octavo. Eighth (éiz).

Octubre. October (a:któube:r).

Ocupado. Busy (bízi).

Ocurrir. Go on (góu a:n).

Odiar. Hate (jéit).

Oferta. Offer (á:fe:r).

Oficial. Official (efíshel).

Oficina de correos. Post office (póust á:fis).

Oficina. Office (á:fis).

Oído. Ear (ir).

Oír. Hear (jier).

Ojo. Eye (ái).

Ola de calor. Heat wave (ji:t wéiv).

Oler. Smell (smel).

Oloroso. Smelly (sméli).

Olvidadizo. Forgetful (fegétful).

Olvidar. Forget (fegét).

Once. Eleven (iléven).

Ondulado. Wavy (wéivi).

Onza. Ounce (áuns).

Opción. Option (á:pshen).

Operar. Operate (á:pereit).

Oportunidad. Chance (chæns).

Oreja

Oportunidad. Opportunity (epertú:neri).

Optimista. Optimistic (a:ptimístik).

Ordenado. Tidy (táidi).

Ordenar un lugar. Tidy (táidi).

Ordenar. Order (á:rde:r).

Orégano. Oregano (o:régene).

Oreja. Ear (ir).

Orgánico. Organic (o:rgænik).

Organizar. Arrange (eréinsh).

Orgulloso. Proud (práud).

Oro. Gold (góuld).

Oscuro. Dark (da:rk).

Oso. Bear (ber).

Ostra. Oyster (óiste:r).

Otoño. Fall (fa:l).

Otra vez. Again (egén).

Otro. Other (á:de:r).

Oveja. Sheep (shi:p).

Oro

P

Padres

Paciente. Patient (péishent).

Padre. Father (fá:de:r).

Padres. Parents (pérents).

Pagar en la caja de un supermercado. Check out (chek áut).

Pagar la cuenta al irse de un hotel. Check out (chek áut).

Paloma

Pan

Pantufla

Pagar las consecuencias. Pay for (péi fo:r).

Pagar las deudas. Settle up (sérl ap).

Pagar. Pay (péi).

Página de inicio. Home page (jóum péish).

Página. Page (péish).

Pago mensual. Monthly payment (mánzli péiment).

País de nacimiento. Country of birth (kántri ev birz).

País. Country (kántri).

Palabra. Word (word).

Palacio de Justicia. Court House (ko:rt jáus).

Pálido. Pale (péil).

Palma. Palm (pa:lm).

Paloma. Dove (dáv).

Paloma. Pigeon (pí:shen).

Pan blanco. White bread (wáit bred).

Pan integral. Whole wheat (jóul bred).

Pan para hamburguesa. Bun (ban).

Pan. Bread (bred).

Panadería. Bakery (béikeri).

Panadero. Baker (béiker).

Panecillo. Roll (róul).

Panqueques. Pancake (pænkeik).

Pantalones cortos. Shorts (sho:rts).

Pantalones de jean. Jeans (shinz).

Pantalones largos. Pants (pænts).

Pantorrilla. Calf (kæf).

Pantufla. Slipper (slipe:r).

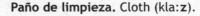
Paño de limpieza. Cloth (kla:z).

Pañuelo de bolsillo. Handkerchief (jænke:rchi:f).

Papa. Potato (petéirou).

Papel higiénico. Toilet paper (tóilet péipe:r).

Papel. Paper (péipe:r).

Paperas. Mumps (mámps).

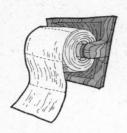

Papel higiénico

Paquete. Pack (pæk).

Paquete. Package (pækish).

Par. Pair (per).

Para. For (fo:r).

Para. To (tu:).

Parabrisas. Windshield (wíndshi:ld).

Paracaídas. Parachute (péreshu:t).

Paracaidismo. Parachuting (pereshú:ting).

Parada de autobús. Bus stop (bas sta:p).

Paracaidismo

Paragolpes. Fender (fénde:r).

Paraguas. Umbrella (ambréle).

Parar. Stop (sta:p).

Pararse. Stand (stænd).

Parecer. Seem (si:m).

Parecerse a un familiar. Take after (téik a:fte:r).

Parecerse. Look like (luk láik).

Pared. Wall (wa:l).

Parpadear. Blink (blink).

Paraguas

Parque. Park (pa:rk).

Parqueo, estacionamiento. Parking lot (pa:rking lot).

Parto

Parte inferior. Bottom (bá:rem).

Partido político. Party (pá:ri).

Partido. Match (mæch).

Partir. Leave (li:v).

Parto. Delivery (dilí:very).

Pasaporte. Passport (pæspo:rt).

Pasar (atravesar). Pass (pæs).

Pasar (dar). Pass (pæs).

Pasar (transcurrir). Pass (pæs).

Pasar a buscar. Pick up (pik ap).

Pasar la aspiradora. Vacuum (vækyú:m).

Paseo

Paseo. Ride (ráid).

Pasta dental. Toothpaste (tu:zpéist).

Pasta. Pasta (pæste).

Pastel. Pie (pái).

Patear. Kick (kik).

Patilla. Sideburn (sáidbe:rn).

Patinaje sobre hielo. Ice skating (áis skéiting).

Patinaje. Skating (skéiring).

Patinar. Skate (skéit).

Patio trasero. Backyard (bækye:rd).

Patinar

Pato. Duck (dák).

Pavo real. Peacock (pí:ka:k).

Pavo. Turkey (té:rki).

Peaje. Toll (tóul).

Peatón. Pedestrian (pedéstrien).

Peca. Freckle (frékel).

Pecho. Chest (chest).

Pelota

Peluquero

Pera

Pedir prestado. Borrow (bárau).

Pedir. Ask for (æsk fo:r).

Pedirle a alguien que se apure. Come on (kam a:n).

Pedirle a alguien que se vaya. Go away (góu ewéi).

Peinador. Hairstylist (jerstáilist).

Peine. Comb (kóum).

Película. Movie (mu:vi).

Peligro. Danger (déinshe:r).

Peligroso. Dangerous (déinsheres).

Pelirrojo. Red-haired (red jerd).

Pelo. Hair (jér).

Pelota. Ball (ba:l).

Peluquero. Hairdresser (jerdrése:r).

Pelvis. Pelvis (pélvis).

Pena de muerte. Death penalty (dez pénelti).

Pensar cuidadosamente. Think over (zink óuve:r).

Pensar. Think (zink).

Peor. Worse (we:rs).

Pepino. Cucumber (kyú:kambe:r).

Pequeño. Little (lírel).

Pequeño. Small (sma:l).

Pera. Pear (pér).

Perder los estribos. Blow up (blóu ap).

Perder. Lose (lu:z).

Pérdida. Loss (la:s).

Perdido. Lost (lost).

Perejil. Parsley (pá:rslei).

Perfectamente. Perfectly (pé:rfektli).

Pesado

Perfecto. Perfect (pé:rfekt).

Permanente. Permanent (pérmenent).

Permiso de trabajo. Work permit (we:rk pé:rmit).

Permiso. Permit (pé:rmit).

Pero. But (bat).

Perplejo. Bewildered (biwílde:rd).

Perplejo. Puzzled (pá:zeld).

Persianas. Blinds (bláindz).

Persona. Person (pé:rsen).

Pesado. Heavy (jévi).

Pesar. Weigh (wéi).

Pesca. Fishing (fishing).

Pesimista. Pessimistic (pesimístik).

Peso. Weight (wéit).

Pestaña. Eyelash (áilæsh).

Pez

Pez. Fish (fish).

Picar. Chop (cha:p).

Picar. Itch (ich).

Picar. Mince (míns).

Pie. Foot (fut).

Piel. Skin (skin).

Pierna. Leg (leg).

Pies. Feet (fi:t).

Pijama. Pajamas (pishæ:mez).

Pimiento

Piloto. Pilot (páilet).

Pimienta. Pepper (pépe:r).

Pimiento. Pepper (pépe:r).

Pintar

Plomero

Policía

Pintar. Paint (péint).

Pintura. Painting (péinting).

Piña. Pineapple (páinæpl).

Piscina. Swimming pool (swíming pu:l).

Piso. Floor (flo:r).

Placer. Pleasure (pléshe:r).

Planchar. Iron (áiren).

Planear. Plan on (plæn a:n).

Planificar. Plan (plæn).

Plano. Plan (plæn).

Planta del pie. Sole (sóul).

Plato preparado. Dish (dish).

Plato principal. Main dish (méin dish).

Plomero. Plumber (pláme:r).

Pobre. Poor (pur).

Poco confiable. Unreliable (anriláiebel).

Poder (para pedir permiso). May (méi).

Poder. Can (kæn).

Poder. Could (kud).

Poderoso. Powerful (páue:rfel).

Policía. Police (pelí:s).

Política. Politics (pá:letiks).

Político. Politician (pa:letíshen).

Póliza. Policy (pá:lesi).

Pollo. Chicken (chíken).

Polo. Polo (póulou).

Polución. Pollution (pelú:shen).

Porción

Polvo. Dust (**dást**).

Poner en su lugar. Put back (put bæk).

Poner. Put (put).

Ponerle el nombre de un familiar. Name after (néim á:fte:r).

Ponerse al día. Catch up on (kæch ap a:n).

Ponerse al día. Catch up with (kæch ap wid).

Ponerse cómodo. Settle (sérl).

Ponerse la ropa. Put on (put a:n).

Popular. Popular (pa:pyu:le:r).

Por. Per (per).

Por allá. Over there (óuve:r der).

Por encima. Over (óuve:r).

Por lo tanto. So (sóu).

Pregunta

¿Por qué? Why (wái).

Porción. Piece (pi:s).

Porque. Because (bico:s).

Poste. Pole (póul).

Postergar. Put off (put a:f).

Postre. Dessert (dizé:rt).

Postularse. Apply (eplái).

Precalentar. Preheat (pri:ji:t).

Precio. Price (práis).

Preferir. Prefer (prifé:r).

Pregunta. Question (kuéschen).

Prensa

Preguntar. Ask (æsk).

Prensa. Press (prés).

Preocupado. Worried (wé:rid).

Presentar

Primavera

Prisión

Preocuparse. Worry (wé:ri).

Prepaga. Prepaid (pripéd).

Preparar un escrito. Draw up (dra: ap).

Preparar. Prepare (pripé:r).

Prescindir. Do without (du: widáut).

Presentador. Host (jóust).

Presentar. Introduce (intredu:s).

Presidente. President (prézident).

Presionar. Press (prés).

Préstamo. Loan (lóun).

Prestar. Lend (lénd).

Presumido. Vain (véin).

Presupuesto. Budget (báshet).

Primavera. Spring (spring).

Primero. First (fe:rst).

Primo. Cousin (kázen).

Principal. Main (méin).

Prioridad. Priority (praió:reri).

Prisión. Jail (shéil).

Prisión. Prison (prí:sen).

Probador. Dressing room (drésing ru:m).

Probar. Try out (trái áut).

Probar comida. Taste (téist).

Problema. Problem (prá:blem).

Procedimiento. Procedure (presí:she:r).

Producto. Product (prá:dekt).

Productos comestibles. Groceries (gróuseri:z).

Profesor

Propina

Puerta

Productos lácteos. Dairy products (déri prá:dakts).

Profesión. Profession (preféshen).

Profesionales. Professional (preféshenel).

Profesor. Teacher (tí:che:r).

Programa de entrevistas. Talk show (ta:k shóu).

Programador. Programmer (prougræme:r).

Promedio. Average (æverish).

Prometer. Promise (prá:mis).

Prometido. Fiancée (fi:a:nséi).

Pronóstico del tiempo. Weather forecast (wéde:r fó:rkæst).

Pronto. Soon (su:n).

Propina. Tip (tip).

Protección. Protection (pretékshen).

Proveedor. Provider (preváide:r).

Proveer. Provide (preváid).

Próximo. Next (nékst).

Prueba instrumental. Exhibit (eksí:bit).

Prueba. Evidence (évidens).

Psicología. Psychology (saiká:leshi).

Psiquiatra. Psychiatrist (saikáietrist).

Publicidad. Advertising (ædve:rtaizing).

Puerta de entrada. Front door (fra:nt do:r).

Puerta. Door (do:r).

Puerto. Harbor (já:rbe:r).

Puerto. Port (po:rt).

Pulgada. Inch (inch).

Pulpo. Octopus (ektá:pes).

Pulso. Pulse (pa:ls).

Puntaje. Mark (ma:rk).

Puño. Fist (fist).

Pulpo

Q

¿Qué clase de? What kind of...? (wa:t káindev).

¿Qué? What (wa:t).

Quebrado (sin dinero). Broke (bróuk).

Quedar bien (una prenda). Fit (fit).

Quedar bien (una prenda). Suit (su:t).

Quedarse levantado. Stay up (stéi ap).

Quedarse sin algo. Be out of (bi: áut ev).

Quedarse. Stay (stéi).

Quemadura. Burn (bu:rn).

Quemar. Burn (be:rn).

Querer mucho algo. Die for (dái fo:r).

Querer. Want (wa:nt).

Queso azul. Blue cheese (blu: chi:z).

Queso. Cheese (chi :z).

Queso

¿Quién? Who (ju:).

Quince. Fifteen (fiftí:n).

Quinto. Fifth (fifz).

Quitar el polvo. Dust (dást).

Quitar importancia. Play down (pléi dáun).

Quitar el polvo

Quitar. Take away (téik ewéi).

Quitar. Take out (téik áut).

Quitarse la ropa. Take off (téik a:f).

R

Radiación. Radiation (reidiéishen).

Radiador. Radiator (réidieire:r).

Radio. Radio (réidiou).

Radioactividad. Radioactivity (reidioæktíveri).

Rallar. Grate (gréit).

Rana. Frog (fra:g).

Rana

Rápido. Quick (kuík).

Raramente. Rarely (ré:rli).

Rascar. Scratch (skræch).

Rasgar. Tear (ter).

Rasgar. Tear up (ter ap).

Ratón. Mouse (máus).

Realmente. Really (ríeli).

Recargar. Refill (rifíl).

Recepcionista. Front desk (fra:nt desk).

Recepcionista. Receptionist (risépshenist).

Receptor. Receiver (risépte:r).

Recepcionista

Receta médica. Prescription (preskrípshen).

Receta. Recipe (résipi).

Rechazar. Turn down (te:rn dáun).

Reciclar

Recibir. Receive (risí:v).

Reciclar. Recycle (risáikel).

Recién. Just (sha:st).

Recoger. Pick up (pik ap).

Recomendación. Referral (riférel).

Recomendar. Recommend (rekeménd).

Recordar. Remember (rimémbe:r).

Recorrer. Look around (luk eráund).

Recorrido. Tour (tur).

Recostarse. Lie back (lái bæk).

Rectangular. Rectangular (rektængyu:le:r).

Recuperar la conciencia. Come around (kam eráund).

Recuperarse de una enfermedad. Get over (get óuve:r).

Refresco

Red. Network (nétwe:rk).

Redondo. Round (ráund).

Reducir. Cut back (kat bæk).

Reducir. Cut down (kat dáun).

Reducir. Reduce (ridú:s).

Reembolso. Refund (rífand).

Referencia. Reference (réferens).

Refresco. Soda (sóude).

Refrigerador. Fridge (frish).

Refrigerador. Refrigerator (rifríshe:reire:r).

Registrarse

Refugiado. Refugee (réfyu:shi:).

Registrarse. Check in (chek in).

Registrarse. Sign up (sáin ap).

Reír

Reglas. Regulation (regyu:léishen).

Regresar. Come back (kam bæk).

Regresar. Get back (get bæk).

Regresar. Go back (góu bæk).

Regular. Regular (régyu:ler).

Reingreso. Re-entry (riéntri).

Reír. Laugh (læf).

Relación. Relation (riléishen).

Relación. Relationship (riléishenship).

Relajado. Relaxed (rilækst).

Relajado. Relaxing (rilæksing).

Relámpago. Lightning (láitning).

Religión. Religion (rilí:shen).

Rellenar. Stuff (staf).

Relleno. Stuffed (stáft).

Religión

Remitente. Sender (sénde:r).

Remo. Rowing (róuing).

Rentar. Rent (rent).

Repetir algo grabado. Play back (pléi bæk).

Repetir. Repeat (ripí:t).

Repisa. Bookcase (búkkeis).

Repollitos de Bruselas. Brussel sprouts (brázel spráuts).

Repollo. Cabbage (kæbish).

Reportero. Reporter (ripó:re:r).

Reprobar. Fail (féil).

Reprogramar. Reschedule (riskéshu:l).

República. Republic (ripáblik).

Repisa

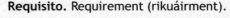

Reunirse

Revista

Río

Requisito. Requirement (rikuáirment).

Resentido. Resentful (riséntfel).

Reserva. Reservation (reze:rvéishen).

Resfriado. Cold (kóuld).

Residente. Resident (rézident).

Residuos tóxicos. Toxic waste (tá:ksik wéist).

Resolver. Figure out (fíge:r áut).

Respirar. Breathe (bri:d).

Responsable. Responsible (rispá:nsibel).

Restaurante. Restaurant (résteren).

Resultar beneficioso. Pay off (péi a:f).

Resultar razonable. Add up (æd ap).

Resultar. Turn out (te:rn áut).

Reticente. Reluctant (riláktent).

Retirar dinero. Withdraw (widdra:).

Retirar pertenencias de un lugar. Clear out (klíe:r áut).

Reunión. Meeting (mí:ting).

Reunirse. Get together (get tegéde:r).

Revisar. Check (chek).

Revisar. Check over (chek óuve:r).

Revisar. Go through (góu zru:).

Revisión. Review (riviú:).

Revista. Magazine (mægezí:n).

Revolver. Stir (ste:r).

Río. River (ríve:r).

Risa. Laughter (læfte:r).

Robar. Make off with (méik a:f wid).

Romance

Ropa

Rubia

Robar. Steal (sti:l).

Robo. Burglary (bé:rgle:ri).

Robo. Robbery (rá:beri).

Robo. Theft (zeft).

Robusto. Stocky (sta:ki).

Rocío. Dew (du:).

Rodilla. Knee (ni:).

Rojo. Red (red).

Romance. Romance (róumens).

Romero. Rosemary (róuzmeri).

Rompecabezas. Jigsaw puzzle (shigsa: pázel).

Romper una relación. Break up (breik ap).

Romper. Break (bréik).

Romperse. Break down (bréik dáun).

Ron. Rum (ram).

Roncar. Snore (sno:r).

Ropa deportiva. Sportswear (spo:rtswer).

Ropa. Clothes (klóudz).

Ropero. Closet (klóuset).

Rosa. Pink (pink).

Rosca. Bagel (béigel).

Rubia. Blonde (bla:nd).

Rubio. Blond (bla:nd).

Rubio. Fair (fer).

Rueda. Wheel (wi:l).

Rugby. Rugby (rágbi).

Ruido. Noise (nóiz).

S

Sal

Salto

Sandía

Sábado. Saturday (sære:rdei).

Sábana. Sheet (shi:t).

Saber. Know (nóu).

Sacar dinero de un banco. Take out (téik áut).

Sal. Salt (sa:lt).

Sala de estar. Living room (líving ru:m).

Saldo. Balance (bælens).

Saldo. Rest (rest).

Salida. Exit (éksit).

Salir a correr. Jogging (**sha:ging**).

Salir de compras. Shop around (sha:p eráund).

Salir de un automóvil. Get out of (get áut ev).

Salir de viaje. Set off (set a:f).

Salir del paso. Move out (mu:v áut).

Salir. Go out (góu áut).

Salirse con la suya. Get away with (get ewéi wid).

Salmón. Salmon (sælmen).

Saltar. Jump (**shamp**).

Salto. Jump (**shamp**).

Salud. Health (jélz).

Salvar. Save (séiv).

Sandía. Watermelon (wá:re:r mélen).

Sangre. Blood (bla:d).

Sardina. Sardine (sá:rdain).

Sastre. Tailor (téile:r).

Satélite. Satellite (sætelait).

Satisfecho. Satisfied (særisfáid).

Seco. Dry (drái).

Secretaria. Secretary (sékrete:ri).

Secuestrador. Kidnapper (kidnæpe:r).

Secuestrar. Kidnap (kidnæp).

Satélite

Secuestro. Kidnapping (kidnæping).

Seguir. Follow (fá:lou).

Segundo. Second (sékend).

Seguro. Insurance (inshó:rens).

Seguro. Safe (séif).

Seguro de sí mismo. Self-confident (self ka:nfident).

Seguro social. Social Security (sóushel sekiurity).

Segundo

Seis. Six (síks).

Selectivo. Selective (siléktiv).

Sellar. Seal (si:l).

Sello. Seal (si:l).

Semáforo. Traffic light (træfik láit).

Semana. Week (wi:k).

Seno. Breast (brést).

Sensato. Sensible (sénsibel).

Sensible. Sensitive (sénsitiv).

Sentarse. Sit (sit).

Sentarse

Sentido. Sense (séns).

Sentimiento. Feeling (fi:ling).

Señalar

Señora

SIDA

Sentir. Feel (fi:l).

Señal de tránsito. Traffic sign (træfik sáin).

Señalar. Point (póint).

Señor. Mr. (míste:r).

Señor. Sir (se:r).

Señora o señorita. Ms. (mez).

Señora. Ma'am (mem).

Señora. Madam (mædem).

Señora. Mrs. (mísiz).

Señorita. Miss (mis).

Separar para un uso específico. Put aside (put esáid).

Separar. Separate (sépe:reit).

Septiembre. September (septémbe:r).

Séptimo. Seventh (sévenz).

Sequía. Drought (dráut).

Ser, estar. Be (bi:).

Serrucho. Saw (sa:).

Servicios. Service (sé:rvis).

Servir. Serve (se:rv).

Sesenta. Sixty (síksti).

Setenta. Seventy (séventi).

Sexo. Sex (séks).

Sexto. Sixth (síksz).

Sí. Yes (yes).

SIDA. Aids (éidz).

Siempre. Always (a:lweiz).

Sierra

Silla de ruedas

Sofá

Sien. Temple (témpel).

Sierra. Hacksaw (jæksa:).

Siete. Seven (séven).

Significado. Meaning (mi:ning).

Significar. Mean (mi:n).

Silla. Chair (che:r).

Silla de ruedas. Wheelchair (wí:lcher).

Sillón. Couch (káuch).

Sillón de dos cuerpos. Loveseat (lávsi:t).

Sin. Without (widáut).

Sin alcohol. Non-alcoholic (na:n elkejóulik)

Sin tacto. Tactless (tæktles).

Sindicato. Union (yú:nien).

Sitio. Site (sáit).

Smog. Smog (sma:g).

Sobornar. Bribe (bráib).

Soborno. Bribe (bráib).

Sobre. Envelope (énveloup).

Sobre. On (a:n).

Sobregiro. Overdraft (óuverdraft).

Sobretodo. Overcoat (óuve:rkout).

Sobrina. Niece (ni:s).

Sobrino. Nephew (néfyu:).

Social. Social (sóushel).

Sociedad. Society (sesáieri).

Sofá. Sofa (sóufe).

Software espía. Spyware (spáiwer).

Sol

Sombrero

Sorpresa

Sol. Sun (sán).

Solamente. Only (óunli).

Soldado. Soldier (sóulshe:r).

Soleado. Sunny (sáni).

Solitario. Lonely (lóunli).

Soltero. Bachelor (bæchele:r).

Solterona. Spinster (spínste:r).

Sombrero. Hat (jæt).

Son. Are (a:r).

Sonar (una alarma). Go off (góu a:f).

Sonar. Ring (ring).

Sonar. Sound (sáund).

Sonrisa. Grin (grin).

Soñar. Dream (dri:m).

Sopa. Soup (su:p).

Soplar. Blow (blóu).

Soplar. Blow out (blóu áut).

Sorprendido. Amazed (eméizd).

Sorprendido. Surprised (se:rpráizd).

Sorpresa. Surprise (se:rpráiz).

Sospechoso. Suspect (sákspekt).

Sótano. Basement (béisment).

Su (.de ellos/as). Their (der).

Su (de animal, cosa o situación). Its (its).

Su (de él). His (jiz).

Su (de ella). Her (je:r).

Subir a un transporte público. Get on (get a:n).

Subterráneo. Subway (sábwei).

Suerte

Subyacer. Lie behind (lái bi:jáind).

Suceder inesperadamente. Come up (kam ap).

Sucio. Dirty (déri).

Suerte. Luck (lak).

Suéter. Sweater (suére:r).

Suficiente. Enough (ináf).

Sufrir. Suffer (sáfe:r).

Sugerir. Come up with (kam ap wid).

Sugerir. Suggest (seshést).

Sumar. Add up (æd ap).

Supermercado. Supermarket (su:pe:rmá:rket).

Suplemento. Supplement (sáplement).

Suponer. Guess (ges).

Suponer. Suppose (sepóuz).

Susceptible. Touchy (táchi).

Suspenso. Thriller (zrile:r).

Suspirar. Sigh (sái).

Sustancia química. Chemical (kémikel).

Sustento. Support (sepo:rt).

Suyo/a. Theirs (derz).

Sustancia química

T

Tabla. Board (bo:rd).

Tablero de instrumentos. Dashboard (dæshbo:rd).

Taco (de un zapato). Heel (ji:l).

Taladro. Drill (dri:l).

Talla. Size (sáiz).

Talón. Heel (ji:l).

También. Also (á:lsou).

También. Too (tu:).

Tamizar. Sift (sift).

Tardar. Take (téik).

Tarjeta de crédito

Tarde. Afternoon (æfte:rnu:n).

Tarde. Late (léit).

Tareas del estudiante. Homework (jóumwe:k).

Tarifa. Rate (réit).

Tarjeta de crédito. Credit card (krédit ka:rd).

Tarjeta de débito. Debit card (débit ka:rd).

Tarjeta telefónica. Phone card (fóun ka:rd).

Tasa de interés. Interest rate (íntrest réit).

Taxi. Cab (kæb).

Tazón

Taxi. Taxi (tæksi).

Taza. Cup (káp).

Tazón. Bowl (bóul).

Tazón. Mug (mag).

Té helado. Iced tea (aís ti:).

Te, a ti, a usted, a ustedes. You (yu:).

Té. Tea (ti:).

Teatro. Theater (zíe:re:r).

Techo. Ceiling (síling).

Teatro

Techo. Roof (ru:f).

Técnico. Technical (téknikel).

Técnico. Technician (tekníshen).

Telefonista

Tejer. Knitting (níting).

Telefonista. Telephone operator (télefóun a:peréire:r).

Teléfono. Phone (fóun).

Teléfono. Telephone (télefóun).

Televisor. Television (télevishen).

Temblar. Tremble (trémbel).

Temperatura. Temperature (témpriche:r).

Temporada. Season (sí:zen).

Temporal. Gale (géil).

Temprano. Early (érli).

Tenedor. Fork (fo:rk).

Tener éxito. Catch on (kæch a:n).

Tener ganas. Feel like (fi:l láik).

Tener que. Have to(hæv te).

Tener una experiencia difícil. Go through (góu zru:).

Tener una ilusión. Dream about (dri:m ebáut).

Tener una ilusión. Dream of (dri:m ev).

Tener. Have (jæv).

Tenis de mesa. Ping Pong (ping pa:ng).

Tenis de mesa. Table tennis (téibel ténis).

Tenis. Tennis (ténis).

Teñir. Dye (dái).

Tercero. Third (zerd).

Terco. Stubborn (stábe:rn).

Terminar de una manera determinada. Come out (kam áut).

Televisor

Tenis

Tiburón

Tienda

Tijera

Terminar de una manera determinada. End up (end ap).

Terminar sesión en sitio de Internet. Log off (la:g a:f).

Terminar sesión en un sitio de Internet. Log out (la:g áut).

Terminar. Be over (bi: óuve:r).

Terraza. Terrace (téres).

Terremoto. Earthquake (érzkweik).

Terrible. Terrible (téribel).

Testigo. Witness (wítnes).

Tía. Aunt (ænt).

Tiburón. Shark (sha:rk).

Tiempo libre. Free time (frí: táim).

Tiempo. Time (táim).

Tiempo. Weather (wéde:r).

Tienda de regalos. Gift store (gift sto:r).

Tienda. Store (sto:r).

Tierra. Earth (érz).

Tierra. Land (lænd).

Tijera. Scissors (síze:rs).

Tímido. Shy (shái).

Tinta. Ink (ink).

Tintorería. Dry cleaner's (drái klí:ne:rz).

Tío. Uncle (ánkel).

Típico. Typical (típikel).

Tirar a la basura. Throw away (zróu ewéi).

Tire. Pull (pul).

Tiro al blanco

Tomate

Tormenta eléctrica

Tiritar. Shiver (shíve:r).

Tiro al blanco. Target shooting (tá:rget shú:ring).

Titular. Headline (jédláin).

Tobillo. Ankle (ænkel).

Tocino. Bacon (béiken).

Todavía. Still (stil).

Todavía. Yet (yet).

Todo. Everything (évrizing).

Todos los días. Every day (évri déi).

Todos. All (a:l).

Tolerante. Easy-going (i:zigóuing).

Tolerar. Put up with (put ap wid).

Tomacorriente. Socket (sá:kit).

Tomar. Take (téik).

Tomate. Tomato (teméirou).

Tomillo. Thyme (táim).

Tormenta de nieve. Blizzard (blíze:rd).

Tormenta eléctrica. Thunderstorm (zánde:rsto:rm).

Tornado. Tornado (te:rnéidou).

Tornillo. Bolt (bóult).

Toro. Bull (bu:l).

Tos. Cough (kaf).

Toser. Cough (kaf).

Tostar. Toast (tóust).

Total. Total (tóurel).

Trabajador. Hard-working (já:rdwe:rking).

Trabajar mucho

Trabajar mucho. Knock out (na:k áut).

Trabajar. Work (we:rk).

Trabajo de parto. Labor (léibe:r).

Trabajo. Job(sha:b).

Trabajo. Work (we:rk).

Traductor. Translator (trensléire:r).

Traer a la memoria. Bring back (bring bæk).

Traer. Bring (bring).

Traer. Bring along (bring elá:ng).

Tragar. Swallow (swálou).

Traje de baño de mujer. Bathing suit (béiding su:t).

Traje de baño hombre. Trunks (tránks).

Traje de etiqueta. Tuxedo (taksí:dou).

Traje de baño de mujer

Traje. Suit (su:t).

Transacción. Transaction (trensækshen).

Transferencias de dinero. Money transfer (máni trænsfe:r).

Transferir. Transfer (trænsfe:r).

Tránsito. Traffic (træfik).

Transpirar. Sweat (swet).

Transportar. Carry (kéri).

Tratar. Try (trái).

Trece. Thirteen (ze:rtí:n).

Treinta. Thirty (zé:ri).

Tren. Train (tréin).

Tren

Tres. Three (zri:).

Triste. Sad (sæd).

Tronco. Trunk (tránk).

Trucha. Trout (tráut).

Truenos. Thunder (zánde:r).

Tu, su, de usted, de ustedes. Your (yo:r).

Tú, usted, estedes. You (yu:).

Tubo. Tube (tu:b).

Tuerca. Nut (nat).

Tumba. Tomb (tu:m).

Turismo. Tourism (túrizem).

Tuyo/a, suyo/a. Yours (yo:rz).

Tuerca

U

Úlcera. Ulcer (álse:r).

Último. Last (læst).

Un centavo de dólar. Penny (péni).

Un poco. A bit (e bit).

Un poco. A little (e lírel).

Un, una. A (e).

Un, una. An (en).

Una vez. Once (uáns).

Unido. United (yu:náirid).

Unirse. Join (shoin).

Universal. Universal (yu:nivé:rsel).

Universidad. University (yu:nivé:rsiri).

Unos pocos. A few (e fyu:).

Untar. Spread (spréd).

Unirse

Uña (caption)

Uña. Nail (néil).

Usar. Use (iu:s).

Usar ropa. Wear (wer).

Usual. Usual (yú:shuel).

Usualmente. Usually (yu:shueli).

Útero. Womb (wu:m).

Uva. Grape (gréip).

V

Vaca. Cow (káu).

Vacación. Vacation (veikéishen).

Vacaciones. Holiday (já:lidei).

Vagar sin un fin específico. Hang around (jæng eráund).

Valiente. Brave (bréiv).

Vandalismo. Vandalism (vændelizem).

Vándalo. Vandal (vændel).

Vaca (caption)

Vapor. Steam (sti:m).

Varicela. Chickenpox (chíkenpa:ks).

Vaso. Glass (glæs).

Veces. Times (táimz).

Veinte. Twenty (twéni).

Veinticinco centavos de dólar. Quarter (kuá:re:r).

Vela. Candle (kændel).

Velocidad. Speed (spi:d).

Vela (caption)

Venda. Bandage (bændish).

Vendedor de autos. Car dealer (ka:r di:le:r).

Ventilador de techo

Verduras

Vestido

Vendedor. Salesclerk (séilskle:k).

Vendedor. Salesperson (séilspe:rsen).

Vendedor. Seller (séle:r).

Vender hasta agotar. Sell out (sel aút).

Vender. Sell (sel).

Vendido. Sold (sóuld).

Veneno. Poison (póisen).

Venir de. Come from (kam fra:m).

Venir. Come (kam).

Ventana. Window (wíndou).

Ventilador de techo. Ceiling fan (síling fæn).

Ventoso. Windy (wíndi).

Ver. See (si:).

Verano. Summer (sáme:r).

Verdadero. True (tru:).

Verde. Green (gri:n).

Verdulero. Greengrocer (gri:ngróuse:r).

Verduras. Vegetables (véshetebels).

Veredicto. Verdict (vé:rdikt).

Verter. Pour (po:r).

Vestido. Dress (dres).

Veterinario. Veterinarian (vete:riné:rian).

Veterinario. Vet (vet).

Viajar. Travel (trævel).

Viaje. Trip (trip).

Vidrio. Glass (glæs).

Viejo. Old (óuld).

Viento. Wind (wind).

Viaje

Vino tinto

Volante

Viernes. Friday (fráidei).

Villa. Village (vílish).

Vinagre. Vinegar (vínige:r).

Vino blanco. White wine (wáit wáin).

Vino rosado. Rosé wine (rouzéi wáin).

Vino tinto. Red wine (red wáin).

Vino. Wine (wáin).

Violación (ataque sexual). Rape (réip).

Violador. Rapist (réipist).

Violador. Violator (váieléire:r).

Violar una ley. Violate (váieléit).

Virus. Virus (váires).

Visitar de improviso. Drop in (dra:p in).

Visitar por un corto período. Stop by (sta:p bái).

Visitar sin detenerse demasiado. Pass by (pæs bái).

Visitar. Visit (vízit).

Vista. Sight (sáit).

Vista. View (viú).

Viuda. Widow (wídou).

Viudo. Widower (widoue:r).

Vivir en un lugar nuevo. Move in (mu:v in).

Vivir. Live (liv).

Volante. Steering wheel (stiring wi:l).

Volar. Fly (flái).

Voleibol. Volleyball (vá:liba:l).

Volver a solicitar. Reapply (ri:eplái).

Vomitar (un bebé). Spit up (spit ap).

Vomitar. Throw up (zróu ap).

Vuelo

Voto. Ballot (bælet).

Voz. Voice (vóis).

Vuelo. Flight (fláit).

Vuelta de prueba. Test drive (test dráiv).

Y

Yoga

Y. And (end).

Yarda. Yard (ya:rd).

Yo. I (ái).

Yoga. Yoga (yóuge).

Yogur. Yoghurt (yóuge:rt).

Z

Zorro

Zanahoria. Carrot (kæret).

Zapato tenis. Sneaker (sni:ke:r).

Zapato. Shoe (shu:).

Zapatos tenis. Tennis shoes (ténis shu:z).

Zarzamora. Blackberry (blækberi).

Zoológico. Zoo (zu:).

Zorro. Fox (fa:ks).

APUNTES DE GRAMÁTICA

Verbs and Phrasal Verbs
Los verbos y las frases verbales

Los verbos pueden ser una palabra, con un significado específico:

Go: Ir
Get: Conseguir, comprar **Break**: Romper

Las **frases verbales** están formadas por **un verbo** y **una palabra** más (adverbio o preposición):

Go **on**
Get **back**
Break **up**

Y tienen, por lo general, un significado diferente del verbo original:

Go on: Continuar
Get back: Volver
Break up: Romper una relación

También pueden estar formadas por **un verbo** y **dos palabras** (adverbio y preposición) más:

Look forward to: Esperar ansiosamente
Get along with: Llevarse (bien o mal) con alguien

Algunas frases verbales no pueden ser seguidas por un objeto (sustantivo o pronombre); son **intransitivas**:

He **ran away**
She never **turned up**
He **got up**

Otras frases verbales llevan un objeto; son **transitivas**:

I **paid back** the loan
I **picked up** my son
I **made up** an excuse

En las **frases verbales transitivas**, el objeto puede ir entre el verbo y el adverbio o preposición, o después del adverbio o preposición:

I **looked** the word **up**
I **looked up** the word
She **took** her coat **off**
She **took off** her coat

Si el objeto es un pronombre, sólo puede ir entre el verbo y el adverbio o preposición:

I looked **it** up
She took **it** off
I picked **him** up

Tenses / Tiempos verbales

Present Continuous

Se forma con el verbo **to be** + otro verbo terminado en **-ing**.

I **am reading**. / Estoy leyendo.
Are you **studying?**
¿Estás estudiando?
She **isn't working**.
Ella no está trabajando.
They **are waiting**.
Ellos están esperando.

Se usa para describir **algo que está sucediendo en el momento en que la persona está hablando**. Puede usarse con **now** y **right now**.

Jack **is watching** TV **(now)**.
Jack está mirando televisión (ahora).
She's **sending** an e-mail **(right now)**
Ella está enviando un correo electrónico (en este momento).

También se usa para expresar **acciones que no están ocurriendo exactamente en el momento en el que hablamos, sino en un período más extenso.** Puede estar acompañado por las expresiones **this week, this month, this year, these days.**

I'm **studying** to become a doctor.
Estoy estudiando para ser médico.
A lot of people **are traveling** to South America **these days**.
Mucha gente viaja a Sudamérica **estos días**.

El **presente continuo** se usa a menudo para expresar **acciones temporarias:**

I'm **staying** at a hotel for 10 days.
Me **estoy hospedando** en un hotel por 10 días.

Simple Present

Se debe agregar «**s**» o «**es**» a verbos con los pronombres **he, she, it.** Para las oraciones interrogativas y negativas se usan los auxiliares **do, does, don't, doesn't.**

I **work** in a hospital.
Trabajo en un hospital.
He **teaches** History. / Él enseña historia.
Do you **live** near here?
¿Vives cerca de aquí?
She **doesn't speak** Spanish.
Ella no habla español.

Se usa para describir **algo que ocurre regularmente, un hábito, una situación que se repite:**

I **study** English every day.
Yo estudio inglés todos los días.
She always **goes** to the beach in the summer.
Ella siempre va a la playa en el verano.

Puede estar acompañado por algunas de estas palabras y frases que indican **frecuencia: always, usually, generally, often, sometimes, rarely, almost never, never, every day, every month,** etc.

They **travel often** on weekends.
Ellos **viajan a menudo** los fines de semana.

También se usa para indicar **acciones permanentes** o **de larga duración:**

I **live** in Boston.
Yo **vivo** en Boston.
I **work** from 9 to 5.
Trabajo de 9 a 5.

Algunos verbos se usan casi siempre en el **presente simple:**

Los que describen **emociones:**

I **hate** this weather. / **Odio** este tiempo.
I **like** sports. / Me **gustan** los deportes.
I **love** sunny days. / Me **encantan** los días de sol.
I **want** to sleep. / **Quiero** dormir.

Los que describen **procesos mentales:**

I **know** her name. / **Sé** su nombre.
I **think** you're wrong.
Creo que estás equivocado.
I **understand** Japanese.
Entiendo japonés.
I never **remember** her phone number.
Nunca **recuerdo** su número de teléfono.

Los que indican **posesión:**

I **have** a new watch.
Tengo un nuevo reloj.
He **owns** a pizza store.
Él **es dueño de** una pizzería.
That house **belongs** to his grandfather.
Esa casa **pertenece** a su abuelo.

Los que se refieren a los **sentidos:**

This sauce **smells** good!
¡Esta salsa **huele** muy bien!
This spaghetti **tastes** wonderful!
¡Estos espagueti **tienen** muy buen **sabor**!
You **look** great!
¡Te **ves** fantástico!

Algunos de estos verbos pueden también usarse en el **presente continuo,** pero su significado es diferente:

I'm **tasting** the sauce.
Estoy probando la salsa.
She's **smelling** the roses.
Ella **está oliendo** el perfume de las rosas.
I'm **thinking** about an answer.
Estoy pensando en una respuesta.
They're **looking** at some photos.
Ellos **están mirando** algunas fotos.

El verbo **feel,** se puede usar en cualquiera de los dos tiempos:

I **feel** fine.
I'm **feeling** fine.

Present Perfect

Se forma con el auxiliar **have/has** + el **pasado participio** del verbo.

She **has lived** in New York for five years.

has = Auxiliar have/has
lived = participio del verbo «live»

Se usa cuando hablamos de un hecho que **comenzó en el pasado pero continúa en el presente:**

I **have worked** here since I was 20.
He trabajado aquí desde que tenía 20 años.
I **have worked** in tourism since 2001.
He trabajado en turismo desde el 2001.
(Todavía sigo trabajando).
She **has written** to him for years.
Ella le **ha escrito** a él durante años.
(Todavía sigue escribiéndole).
How long **have** they **lived** here?
¿Cuánto tiempo **han vivido** aquí?
How long **have** you **worked** as a teacher?
¿Cuánto tiempo **has trabajado** como maestra?

Las preposiciones **since** y **for** acompañan frecuentemente a este tiempo verbal:

For indica la duración de la acción:

They **have lived** here for 4 months.
Han vivido aquí durante 4 meses.

He **hasn't talked** to me **for** five days.
Él no me **ha hablado** durante cinco días.

Since marca el **momento en que comenzó la acción:**

It **has been** raining since Monday.
Ha **estado lloviendo** desde el lunes.
She **hasn't been** very well **since** last June.
Ella no **ha estado** muy bien **desde** junio pasado.

En las preguntas se puede usar el adverbio **ever,** que significa **alguna vez:**

Have you **ever been** to Mexico?
¿**Has estado alguna vez** en México?
Has she **ever won** a competition?
¿**Ha ganado ella alguna vez** una competición?

Para contestar con **respuestas cortas** a preguntas por sí o por no, **se usa sólo** el auxiliar **have o has:**

Have you ever **been** to Mexico?
Yes I **have** / No, I **haven't**
Have they **studied** English for a long time?
Yes, they **have** / No, they **haven't**
Have she **lived** here for a long time?
Yes, she **has** / No, she **hasn't**

Comparemos el **presente perfecto** con el **pasado simple:** El **presente perfecto** siempre se refiere a **algo que comenzó en el pasado y continúa en el** presente; el **pasado simple**, en cambio, **se usa para acciones que han comenzado y terminado en el pasado.**

Katie **worked** at the supermarket for 5 months.

Katie **trabajó** en el supermercado durante 5 meses.

Verbo en **pasado simple, la acción finalizó:** Katie ya no trabaja más en el supermercado.

Katie **has worked** at the supermarket for five months.

Katie **ha trabajado** en el supermercado durante cinco meses.

Verbo en **presente perfecto:** Katie trabaja en el supermercado desde hace cinco meses y **todavía sigue trabajando.**

Past Continuous

Se forma con el verbo **to be** como auxiliar en pasado **was/were** + un **verbo terminado en** -ing.

I **was sleeping**
They **were talking**
Was she **driving?**

Se usa para describir **una acción que estaba ocurriendo en un determinado momento en el pasado.**

I **was walking** my dog at 6:00.

Yo **estaba paseando** a mi perro a las 6:00.

It **wasn't raining** early in the morning.

No **estaba lloviendo** a la mañana temprano.

Comparemos el pasado simple **con el** pasado continuo.

Cuando la **acción o el tiempo en** que la acción estaba ocurriendo es **interrumpido** por otra, esta última se expresa en **pasado simple.**

I **was walking** my dog when the accident **happened.**

Yo **estaba paseando** a mi perro cuando **sucedió** el accidente.

walking: pasado continuo
happened: pasado simple

I **was reading** the newspaper when the phone **rang.**

Yo **estaba leyendo** el diario cuando **sonó** el teléfono.

When puede usarse junto con el **pasado simple:**

When the accident **happened,** I was walking my dog.

Cuando **sucedió** el accidente, yo estaba paseando a mi perro.

While puede usarse junto con el **pasado continuo.**

While I **was walking** my dog, the accident happened.

Mientras **estaba paseando** a mi perro, ocurrió el accidente.

Cuando las dos oraciones están en pasado, el significado es diferente:

When I **saw** him, I **ran** away!

Cuando lo vi, salí corriendo.

When I **saw** him, I **was running**.

Cuando lo vi, yo estaba corriendo.

Past Perfect

Se forma con el auxiliar **had** + el **pasado participio** de un verbo.

They **had left**
She **had finished**
We **hadn't started**

Se usa para expresar **una acción que ocurrió antes de otra acción en el pasado** o de un momento específico en el pasado.

He **had** already **left** when she arrived.

Él ya se había marchado cuando ella llegó.

It **had stopped** raining when the accident happened.

Había parado de llover cuando el accidente ocurrió.

I **had been** to Canada once before 1998.

Había estado en Canadá una vez antes de 1998.

She **had** never **seen** snow before she moved to Colorado.

Ella nunca había visto nevar antes de mudarse a Colorado.

The Future

Existen cuatro formas de expresar el futuro:

1) Con el auxiliar **«be going to»**:

I'm **going to start** my own business.

Voy a empezar mi propio negocio.

2) Con el **presente continuo**:

I'm **opening** a pizza store.

Abriré una pizzería.

3) Con el auxiliar **«will»**:

I'll **make** the best pizzas in town.

Haré las mejores pizzas de la ciudad.

4) Con el **presente simple**:

It **finishes** at 12. / Termina a las 12.

-Para hacer **predicciones o suposiciones** usas **«be going to»** y **«will»**.

People **are going to** live in big cities.

La gente va a vivir en grandes ciudades.

People **will live** in big cities.

La gente vivirá en grandes ciudades.

-Cuando lo que nos lleva a la presunción es algo que está sucediendo en el momento, se usa **«be going to»**:

Watch out! You're **going to** hurt yourself!

¡Cuidado! ¡Te vas a lastimar!

-Para hablar de **intenciones futuras o planes**, puedes usar:

- be going to:
He's **going to open** a pizza store
next month.

- will:
He'**ll open** a pizza store
next month.

-presente continuo:
He's **opening** a pizza store
next month.

Él **va a** abrir una pizzería el mes que viene.

-El **presente continuo** también se
utiliza para hablar sobre **planes
futuros que ya han sido fijados:**

He's **traveling** to Los Angeles
tomorrow evening.

Él **viajará** a Los Angeles mañana a la tarde.

-Cuando **un evento futuro ha sido
programado** (horarios, programas
y cronogramas), **los verbos start,
leave, end** y **begin** se usan
a menudo en **presente simple:**

The movie **starts** at 8:00 and
ends at 10:15.

La película **comienza** a las 8 y **termina** a las 10:15.

The conditionals
Los condicionales

Son estructuras que se usan para
expresar condiciones. Están
formadas por una cláusula de
condición que contiene la palabra
«if» (si) y una cláusula de
resultado. La cláusula de
condición puede ir al comienzo o
al final de la oración:

If it rains, I'll stay at home.
▼　　　　　　　▼
Cláusula de condición Cláusula de resultado

I'll stay at home **if it rains.**
▼　　　　　　　▼
Cláusula de resultado Cláusula de condición

Existen cuatro clases diferentes
de condicionales:

1) Condicional de presente real:
Expresa situaciones que siempre
se dan de una determinada
manera si algo sucede. El verbo
en la cláusula condicional y en la
de resultado va por lo general en
presente simple.

If it rains, we **take** a cab.
Si **llueve, tomamos** un taxi.
If I have a day off from work,
I **go out** with my friends.
Si **tengo** un día libre, **salgo** con mis amigos.

2) Condicional de futuro real:
Expresa una situación que es
muy posible que suceda si se
cumple la condición. El verbo en
la cláusula condicional está en
presente simple y el de la
cláusula de resultado se usa
con el auxiliar «**will**».

If I **go** on a diet, I**'ll** lose weight.

Si **hago** dieta, **perderé** peso.

If you **don't feel** well,
I**'ll** call a doctor.

Si no te **sientes** bien, **llamaré** a un médico.

3) Condicional de presente o futuro irreal: Expresa una situación improbable o imposible, que puede ser imaginaria. El verbo en la cláusula condicional está en **pasado simple** y el de la cláusula de resultado se usa con el auxiliar **would**.

If I **had** a lot of money, I**'d (would)** buy a house by the sea.

Si yo **tuviera** mucho dinero, me **compraría** una casa cerca del mar.

I**'d go** to the gym every day **if** I **had** the time.

Iría al gimnasio todos los días si **tuviera** tiempo.

El verbo «**to be**» se usa siempre conjugado como «**were**».

If I **were** you, I**'d** tell her the truth.

Si yo **estuviera** en tu lugar, le **diría** la verdad.

4) Condicional de pasado irreal: Se usa para decir cómo hubiera resultado algo si una determinada situación hubiera ocurrido (pero sabemos que no ocurrió). El verbo en la cláusula condicional está en **pasado perfecto** y en la cláusula de resultado hay una frase verbal formada por **would + have + participio del verbo.**

If I **had seen** you at the party, I **would have stayed** longer.

Si te **hubiera visto** en la fiesta, me **hubiera** quedado más tiempo.

She **wouldn't have failed** the test if she **had studied** harder.

No le **hubiera ido** mal en su examen si hubiera estudiado más.

He **would have gotten** the job if he **had studied** Spanish.

Él hubiera conseguido el trabajo si hubiera estudiado español.

Used to - Be used to Get used to

Estas frases cuya estructura es similar tienen, sin embargo, significados diferentes:

Used to:

-Se usa **used to** + un **verbo en infinitivo** (sin conjugar) para hablar sobre **situaciones pasadas que ya no ocurren más.**

I **used to have** many pets when I was a kid.

Yo **solía tener** muchas mascotas cuando era niño.

I **used to hate** pasta.

Solía odiar la pasta.

Podemos usarlo para contrastar el presente con el pasado, usando **now, no longer, not anymore:**

I used to swim every day, but **now** I don't have time to do it.
Yo solía nadar todos los días, pero ahora no tengo tiempo para hacerlo.

She **used to** come every Sunday, but she **no longer** lives here.
Ella solía venir todos los domingos, pero ya no vive más aquí.

I used to visit her very often, but I don't **anymore.**
Yo solía visitarla muy a menudo, pero ya no lo hago más.

Para hacer preguntas se usa **did +use to:**

Did you **use to travel** a lot when you were working as a salesman?
¿Solías viajar mucho cuando trabajabas como vendedor?

Para formar oraciones negativas, se debe usar **didn't use to:**
She **didn't use to read** a lot when she was a teenager.
Ella no solía leer mucho cuando era adolescente.

Comparemos **Be used to** con **Get used to**

-Be used to + verb-ing: Estar acostumbrado. Lo usamos para expresar acciones a las que ya nos hemos habituado:

I'm used to wearing casual clothes for work. / Estoy acostumbrado a usar ropa informal para trabajar.

I'm used to walking to work every day.
Estoy acostumbrada a ir caminando al trabajo todos los días.

-Get used to + verb-ing: Acostumbrarse. Se usa para expresar acciones a las que nos estamos acostumbrando con el transcurso del tiempo.

I'm getting used to speaking English every day.
Me estoy acostumbrando a hablar inglés todos los días.

She's **getting used to living** in a big city.
Ella se está acostumbrando a vivir en una gran ciudad.

El verbo después de **get used to** siempre debe llevar **-ing:**

I **got used to** getting up at 7.
Me acostumbré a levantarme a las 7.

Comparisons
Las comparaciones

Para **hacer comparaciones** fíjate en las siguientes reglas:

En los **adjetivos cortos** en general, se agrega **-er:**

shorter: **más** bajo
smaller: **más** pequeño
colder: **más** frío
warmer: **más** cálido
older: **más** viejo

Los **adjetivos cortos** que terminan en **y**, cambian esta terminación por **i +er:**

happy: happier / más feliz
friendly: friendlier / más amigable
easy: easier / más fácil
heavy: heavier / más pesado
early: earlier / más temprano

En los **adjetivos largos**, se agrega
more (más)/**less** (menos):

sensitive: **more** sensitive / más sensible
difficult: **less** difficult / menos difícil
boring: **more** boring / más aburrido
interesting: **less** interesting
/ **menos** interesante
important: **more** important
/ **más** importante

Y también en los que terminan
en **-ly** y **-ed**.

quickly: more quickly / más rápido
softly: more softly / más suavemente
bored: **more** bored / más aburrido
tired: **less** tired / menos cansado

Cuando mencionamos las
cosas, lugares o personas que
comparamos, se agrega **than**
(que) tanto con los adjetivos
cortos como con los largos:

Today is colder **than** yesterday.
Hoy hace **más** frío **que** ayer.
Japanese is **more difficult
than** Spanish.
El japonés es **más difícil que** el español.
I'm **less** absent-minded **than**
my brother.
Soy **menos** distraído **que** mi hermano.

Algunos adjetivos cambian
al formar el comparativo:

good (bueno) / **better** (mejor)
bad (malo) / **worse** (peor)
far (lejos) / **farther**(más lejos)

My new office is **better than**
the old one.
Mi nueva oficina es **mejor que** la vieja.
I feel **worse than** yesterday.
Me siento **peor que** ayer.
He lives **farther than** Laura.
Él vive **más lejos que** Laura.

Equal comparisons
(Comparaciones de similitud)

También se pueden hacer
comparaciones usando **as +
adjetivo + as** (tan... como):

This printer is **as good as** that one.
Esta impresora es **tan buena como** aquella.

Y en negativo **not as + adjetivo
+ as** (no tan... como):

This city **isn't as** lively **as** San
Francisco.
Esta ciudad **no** es **tan** alegre **como** San
Francisco.

The superlative
(El superlativo)

Cuando se **comparan tres o más
cosas o personas**, se usa el

superlativo, que se forma agregando el artículo **the** + la terminación
-est a los adjetivos cortos o el artículo **the** + las palabras **most / least** cuando el adjetivo es largo.

big: big**est**
fast: fast**est**
small: small**est**

This is **the biggest** house in town.
Esta es la casa **más grande** de la ciudad.
He won the race because he drives **the fastest** car.
Ganó la carrera porque conduce el auto **más veloz**.
This is **the most** interesting book I've ever read.
Este es el libro **más interesante** que jamás haya leído.

Funciones del lenguaje

Son las diferentes situaciones en las que puedes usar el idioma para comunicarte.

Assumptions (Suposiciones)

El grado de certeza que tenemos al hacer la suposición lo dará el auxiliar usado:

Oraciones afirmativas
(de mayor a menor certeza):

must / You **must be** proud of your son.
Debes de estar orgulloso de tu hijo.

have (got) to / You've **got to be** proud of your son.
Debes de estar orgulloso de tu hijo.
may / That **may** be my father.
Debe de ser mi padre.
might / You **might** be right.
Debes de tener razón.
could / He **could** be the doctor.
Debe de ser el doctor.

Oraciones negativas
(de mayor a menor certeza):

can't, couldn't /
That **can't/couldn't** be true.
Eso no **debe de** ser verdad.
must not /
He **must not** be her husband.
Él no **debe de** ser su marido.
may not / They **may not** be ready.
Ellos no **deben de** estar listos.
might not /
He **might not be** very happy.
No debe de estar muy contento.

Ability (Habilidad)

Para expresar **habilidad en el presente** se usa el auxiliar **can**:

I **can** use a scanner.
Yo **puedo** usar un escáner.
She **can** speak four languages.
Ella **puede** hablar cuatro idiomas.

Can you ride a horse?
Yes, I **can**. / No, I **can't**.
¿**Puedes** andar a caballo?
Sí, puedo. / No, no puedo.
My sister **cannot** drive.
My sister **can't** drive.
Mi hermana **no puede** conducir.

Obligation and necessity
(Obligación y necesidad)

Para expresar **algo que tienes que hacer** o que **necesitas hacer,** usas el auxiliar **have to:**

I **have to** fill out a form.
Tengo que completar una forma.
We **have to** tell her the truth.
Tenemos que decirle la verdad.
She **has to** pick her son up from school.
Ella **tiene que** ir a buscar a su hijo a la escuela.

Para hacer preguntas usas
do/does + **have to:**
Do you **have to** answer many questions?
¿Tienes que contestar muchas preguntas?
Do you **have to** work? Yes, I **do./** No, I **don't.**
¿Tienes que trabajar? Sí. / No.
Does she **have to** see a doctor? Yes, she **does./**No, she **doesn't.**
¿Tiene que ver a un médico? Sí. / No.

Para expresar que **es necesario u obligatorio hacer algo,** sobre todo en el **lenguaje escrito,** o cuando se trata **de leyes, reglamentos o señales** se usa el auxiliar **must:**

Residents **must** obey all laws.
Los residentes **deben** obedecer todas las leyes.
The Green Card **must** be renewed before it expires.
La Tarjeta Verde debe ser renovada antes de su vencimiento.

Cuando se quiere expresar que **no es necesario** hacer algo, se usa **don't /doesn't have** to + verbo en infinitivo:

You **don't have to** pay in advance.
No tienes que pagar por adelantado.
I **don't have to** go to the party if I don't like it.
No tengo que ir a la fiesta si no tengo ganas.
She **doesn't have to** sign. It's not necessary.
Ella no **tiene que** firmar. No es necesario.

Prohibition (Prohibición)

Cuando se debe expresar una **prohibición**, se usa **must not** o la forma contraída **mustn't.**

You **mustn't drive** if you drank alcohol.
No **debes** conducir si bebiste alcohol.

You **mustn't** drive faster than the speed limit.
No **debes** conducir más rápido que el límite de velocidad.

Cuando hablamos, podemos usar también **can't** para expresar **prohibición:**

He **can't** arrive late.
Él **no puede** llegar tarde.

You **can't** smoke here.
Usted **no puede** fumar aquí.

Advice (Consejos)

Para dar un consejo puedes usar **should/had better** (´**d better**) antes del verbo:

She **should** go to the doctor
Ella debería ir a ver a un médico.

You'**d better** leave now.
Sería mejor que te fueras ahora.

He **should** take that job.
Él debería aceptar ese trabajo.

O sus formas negativas
should not/shouldn't
had better not/´d better not:

You **shouldn't** eat chocolate.
No deberías comer chocolate.

She **shouldn't** spend more than she gets.
Ella no debería gastar más de lo que gana.

You'**d better not** go out.
Sería mejor que no salgas.

Para **pedir consejos**, debes usar **should** en forma interrogativa:

What **should** I tell her?
¿Qué debería decirle a ella?

Should I invite him?
¿Debería invitarlo?

Should I wait here?
¿Debería esperar aquí?

Suggestions (Sugerencias)

Para **sugerir algo de manera informal** se pueden usar las siguientes frases:

Let's
Maybe... could
Could
Why don´t/doesn´t
Why not
How about

Let's go out for dinner
Vayamos a cenar.

Maybe we **could** go to an Italian restaurant.
Quizás podríamos ir a un restaurante italiano.

Why don't we ask Allie to come with us?
¿Por qué no le decimos a Allie que venga con nosotros?

That would be great. **Why doesn't** she bring her cousin too?
Sería fantástico. ¿Por qué no trae a su primo también?

Why not call her right now?
¿Por qué no la llamamos ahora?

How about going to the movies after that?
¿Qué tal si vamos al cine después?

Preferences (Preferencias)

Para expresar **preferencias** se usan las siguientes expresiones:

prefer
would prefer ('d prefer) would rather

I **prefer** to eat at home on weekends.
Prefiero comer en mi casa los fines de semana.
I **prefer** homemade food.
Prefiero la comida casera.
I **prefer** eating pasta.
Prefiero comer pasta.
But today, I'**d rather** go out.
Pero hoy preferiría salir.
I'**d prefer** to stay at home and watch TV.
Preferiría quedarme en casa y mirar televisión.
I'**d prefer** reading a book.
Preferiría leer un libro.
I'**d prefer** a romantic novel.
Preferiría una novela romántica.

Possibility (Posibilidad)

Para expresar **posibilidad**, se usan estos auxiliares:

May / Might / Could

I **may** go to the supermarket after work.
Quizás vaya al supermercado después del trabajo.

I **may not** finish on time.
Quizás no termine a tiempo.
It **might** rain tomorrow.
A lo mejor llueve mañana.
It **might not** rain tomorrow.
Quizás no llueva mañana.
It **could** get colder.
Puede hacer más frío.

Requests (Pedidos)

Para pedir algo usas estos auxiliares:

Will / Can
más informal.
Would / Could / Would you mind
más formal.

Honey, **will** you shut the door?
Cariño, ¿**puedes** cerrar la puerta?
Can you call me later?
¿Puedes llamarme más tarde?
Would you **tell** her to come in, please?
¿Podrías decirle que entre, por favor?
Could you speak up, please?
¿Podría hablar más fuerte, por favor?
Would you **mind** waiting?
¿Le molestaría esperar?

Permission (Permiso)

Para **pedir permiso** se usan estos auxiliares

May / Could / Can
Do you mind if...?

May I talk to him now?

¿Puedo hablar con él ahora?

Could I use your phone, please?

¿Podría usar su teléfono, por favor?

Can I ask you a question?

¿Puedo hacerte una pregunta?

Do you mind if I smoke?

¿Te molesta si fumo?

Confirmation
(Las confirmaciones)

Cuando quieres que te **confirmen algo que has dicho**, debes fijarte qué verbo has usado y en qué tiempo, y usarlo en la frase de confirmación en negativo, si estaba en afirmativo o viceversa. Si has usado el verbo **to be** no deberás usar un auxiliar, sino repetir el mismo verbo. Si has usado otro verbo, usarás el auxiliar que corresponda (do / don't, does/ doesn't, did/didn't, etc.)

This **is** your uncle, **isn't it?**

▼   ▼

Verbo to be   Verbo to be
en presente,   en presente,
afirmativo   negativo

Este es tu tío, ¿verdad?

He **travels** very often, **doesn't he?**

▼   ▼

Verbo en presente,   Auxiliar en presente,
afirmativo   negativo

Él viaja muy a menudo, ¿verdad?

You're tired, **aren't you?**

Estás cansada, ¿verdad?

You **don't like** chocolate, **do you?**

No te gusta el chocolate, ¿verdad?

You **were** born in Venezuela, **weren't you?**

Tú naciste en Venezuela, ¿verdad?

The car **wasn't** moving very fast, **was it?**

El auto no estaba avanzando muy rápido, ¿verdad?

They **have** a child, **don't they?**

Ellos tienen un hijo ¿verdad?

Expectations (Expectativas)

Para expresar **expectativas** se usa la frase **be supposed to:**

We're **supposed** to pick her up at the airport.

Se supone que debemos esperarla en el aeropuerto

Am I **supposed** to call her?

¿Se supone que debo llamarla?

You're **not supposed** to wear a tie.

No tienes que usar corbata.

It's **not supposed** to rain today.

Hoy no se esperan lluvias.

The Imperative (El imperativo)

Para dar **órdenes, instrucciones, advertencias, consejos o pedidos**, puedes usar el imperativo. Se forma con el infinitivo del verbo y no se usan pronombres:

Close the door.
Cierra la puerta.
Don't move!
No se muevan.
Turn left.
Dobla a la derecha.
Be careful!
¡Ten cuidado!
Please, **try** this.
Por favor, **prueba** esto.

Exclamations (Exclamaciones)

Para formar oraciones exclamativas, puedes usar **What** y **How**:

-What + a + adjective (adjetivo) + **singular noun** (sustantivo singular):

What a lovely place! (usas «a» porque «place» es singular)
¡Qué lugar hermoso!

-What + adjective (adjetivo) + **plural noun** (sustantivo plural):

What beautiful girls! (no usas «a» porque «girls» es plural)
¡Qué muchachas hermosas!

-How + adjective:

How interesting!
¡Qué interesante!
How terrible!
¡Qué terrible!

PRONUNCIACIÓN

Sonidos del inglés americano

PRONUNCIACIÓN

Los sonidos de las vocales

Los símbolos de la izquierda son los utilizados en este libro para la expresión fonética. En aquellos casos en que existe un sonido similar en español, lo hemos incluido para que te sirva de referencia.

Símbolos	Palabras en las que aparece el sonido	Sonido similar en español
[a]	bus-month	-
[a:]	car-shop	taza-allá
[æ]	cab-back	-
[e]	end-heavy	el-ese
[e]	arrive-seven	-
[e:]	bird-learn	-
[e:]	dollar-never	-
[i:]	we-please	así-ahí
[i]	six-live	-
[o:]	four-store	-
[u:]	who-cool	usa-mucho
[u]	book-would	-
[au]	town-house	Paula-auto
[ai]	time-price	caiga-hay
[ei]	say-late	aceite-ley
[ou]	boat-grow	-
[oi]	voice-boy	voy-oigo

Los sonidos de las consonantes

Símbolos	Palabras en las que aparece el sonido	Sonido similar en español
[b]	big-job	timbre-cambio
[d]	door-window	mandar-dólar
[d]	this-mother	boda-ruido
[f]	feel-offer	fácil-fe
[g]	great-flag	tengo-gusto
[j]	hello-head	mujer-gente
[k]	coffee-lake	cama-kilo
[l]	let-tell	luz-mal
[m]	man-room	mesa-toma
[n]	next-money	antes-nuez
[ng]	bring-angry	vengo-manga
[p]	park-stop	pensar-limpiar
[r]	river-four	pare-cara
[s]	send-also	siempre-solo
[t]	tall-rest	tú-atar
[v]	visit-movie	-
[w]	win-went	huir-hueso
[y]	young-lawyer	hielo-allí
[z]	zoo-zero	-
[z]	think-birthday	zona-hace
[sh]	ship-Spanish	yo-ya
[sh]	June-jacket	-
[sh]	usual-pleasure	-
[ch]	cheese-beach	hacha-ancho

APÉNDICE

Days of the week	Días de la semana
Monday	Lunes
Tuesday	Martes
Wednesday	Miércoles
Thursday	Jueves
Friday	Viernes
Saturday	Sábado
Sunday	Domingo

Seasons of the year	Estaciones del año
Spring	Primavera
Summer	Verano
Autumn	Otoño
Winter	Invierno

Months of the year	Meses del año
January	Enero
February	Febrero
March	Marzo
April	Abril
May	Mayo
June	Junio
July	Julio
August	Agosto
September	Septiembre
October	Octubre
November	Noviembre
December	Diciembre

Números / Numbers

1	One	30	Thirty
2	Two	40	Forty
3	Three	50	Fifty
4	Four	60	Sixty
5	Five	70	Seventy
6	Six	80	Eighty
7	Seven	90	Ninety
8	Eight	100	One hundred
9	Nine		
10	Ten	200	Two hundred
11	Eleven	300	Three hundred
12	Twelve	………..	………….
13	Thirteen		
14	Fourteen	1.000	One thousand
15	Fifteen		
16	Sixteen	100.000	One hundred thousand
17	Seventeen		
18	Eighteen		
19	Nineteen	1.000.000	One million
20	Twenty		
21	Twenty one		
22	Twenty two		
23	Twenty three		
………..	………….		
29	Twenty nine		

RESPUESTAS DE LOS TEST DE VOCABULARIO

Grupo 1 al 100
1) c 2) b 3) d 4) b 5) a 6) b 7) c 8) b 9) a 10) d

Grupo 101 al 200
1) d 2) a 3) c 4) b 5) c 6) a 7) d 8) a 9) b 10) c

Grupo 201 al 300
1) b 2) b 3) d 4) a 5) a 6) c 7) a 8) b 9) d 10) b

Grupo 301 al 400
1) b 2) a 3) b 4) b 5) c 6) b 7) a 8) b 9) c 10) a

Grupo 401 al 500
1) c 2) a 3) b 4) c 5) b 6) b 7) b 8) b 9) a 10) c

Grupo 501 al 600
1) b 2) a 3) b 4) a 5) c 6) b 7) b 8) c 9) d 10) a

Grupo 601 al 700
1) d 2) a 3) c 4) c 5) b 6) d 7) a 8) c 9) a 10) a

Grupo 701 al 800
1) b 2) d 3) d 4) a 5) c 6) a 7) c 8) a 9) d 10) c

Grupo 801 al 900
1) c 2) d 3) d 4) d 5) a 6) b 7) c 8) a 9) c 10) a

Grupo 901 al 1000
1) c 2) a 3) b 4) a 5) d 6) b 7) c 8) b 9) c 10) d